APRESENTANDO...

Matilda

Michael

Srta. Mel

Sr. e sra. Losna

Bruce Campônio

Sra. Taurino

Amanda Thripp

ROALD DAHL

MATILDA

Tradução
Cecília Camargo Bartalotti

11ª edição

GALERA
junior
RIO DE JANEIRO
2025

REVISÃO
Renato Carvalho

DIAGRAMAÇÃO
Abreu's System

CAPA
Isadora Zeferino

ILUSTRAÇÕES DE MIOLO
Quentin Blake

TÍTULO ORIGINAL
Matilda

CIP-BRASIL. CATALOGAÇÃO NA PUBLICAÇÃO
SINDICATO NACIONAL DOS EDITORES DE LIVROS, RJ

D129m

Dahl, Roald, 1916-1990
Matilda / Roald Dahl ; tradução Cecília Camargo Bartalotti ; ilustrações de miolo Quentin Blake. – 11. ed. – Rio de Janeiro : Galera Júnior, 2025.

Tradução de: Matilda
ISBN 978-65-84824-02-7

1. Ficção. 2. Literatura infantojuvenil inglesa. I. Bartalotti, Cecília Camargo. II. Blake, Quentin. III. Título.

22-76959

CDD: 808.899282
CDU: 82-93(410.1)

Meri Gleice Rodrigues de Souza – Bibliotecária – CRB-7/6439

Copyright © 2022 The Roald Dahl Story Company Ltd / Quentin Blake.
ROALD DAHL é uma marca registrada da The Roald Dahl Story Company Ltd.
www.roalddahl.com

Todos os direitos reservados.
Proibida a reprodução, no todo ou em parte, através de quaisquer meios.
Os direitos morais do autor foram assegurados.

Texto revisado segundo o novo Acordo Ortográfico da Língua Portuguesa.

Direitos exclusivos de publicação em língua portuguesa somente para o Brasil
adquiridos pela
EDITORA GALERA RECORD LTDA.
Rua Argentina, 120 – Rio de Janeiro, RJ – 20921-380 – Tel.: (21) 2585-2000,
que se reserva a propriedade literária desta tradução.

Impresso no Brasil

ISBN 978-65-84824-02-7

Seja um leitor preferencial Record.
Cadastre-se e receba informações sobre nossos
lançamentos e nossas promoções.

Atendimento e venda direta ao leitor:
sac@record.com.br

A leitora de livros

Os pais e as mães são engraçados. Mesmo quando o filho é a maior pestinha que se pode imaginar, continuam achando que ele é maravilhoso.

Alguns pais vão ainda mais longe. Ficam tão alienados de adoração, que conseguem se convencer de que o filho tem qualidades de gênio.

Na verdade, não há nada de muito errado nisso. O mundo é assim mesmo. Mas, quando os pais começam a *nos* contar quanto seus rebentos detestáveis são brilhantes, então começamos a gritar: "Tragam uma bacia! Que vontade de vomitar!"

Os professores sofrem muito tendo que ouvir pais orgulhosos falarem todas essas bobagens, mas geralmente conseguem se vingar na hora de escrever os relatórios de fim de ano. Se eu fosse professor, tramaria verdadeiras sapecadas para os filhos desses pais babões. Eu diria: "Seu filho Maximiliano é um caso perdido. Espero que haja algum negócio de família onde possam enfiá-lo quando

ele terminar a escola, pois com certeza não vai conseguir emprego em nenhum outro lugar." Ou, se no dia eu estivesse mais lírica, talvez escrevesse: "É curioso que os gafanhotos tenham seus órgãos auditivos nas laterais do abdômen. Sua filha Vanessa, a julgar pelo que ela aprendeu neste ano, não tem órgão auditivo nenhum."

Talvez eu pudesse me aprofundar ainda mais em história natural e dizer: "A cigarra periódica passa seis anos sob a terra, em estado larvar, e apenas seis dias como criatura

livre, à luz do sol. Seu filho Wilfred passou seis anos na escola como uma larva, e ainda estamos esperando que ele saia da crisálida." Sobre alguma garotinha particularmente insuportável eu poderia dizer: "Fiona tem a beleza glacial de um iceberg mas, ao contrário do iceberg, não tem absolutamente nada sob a superfície." Acho que me divertiria escrevendo relatórios de fim de ano para os monstrinhos da minha classe. Mas agora chega. Vamos em frente.

Às vezes encontramos pais que seguem a linha oposta e não demonstram nenhum interesse pelos filhos, e esses são muito piores do que os babões. O sr. e a sra. Losna eram pais desse tipo. Tinham um filho que se chamava Michael e uma filha chamada Matilda, e tratavam Matilda, particularmente, como se ela fosse uma casca de ferida. Casca de ferida é algo que a gente tem que aguentar por algum tempo, até chegar a hora de se livrar dela e descartá-la. O sr. e a sra. Losna não viam a hora de livrar-se da filha e jogá-la longe, de preferência em outro estado ou em algum lugar ainda mais distante.

Já é ruim quando os pais tratam crianças *comuns* como se fossem cascas de ferida ou joanetes, mas é muito pior quando a criança em questão é *incomum*, ou seja, sensível e inteligente. Matilda era as duas coisas, principalmente inteligente. Tinha a mente tão ágil e aprendia tudo tão depressa, que mesmo os pais mais medíocres teriam percebido sua capacidade. Mas o sr. e a sra. Losna, muito obtusos e fechados em suas vidinhas estúpidas, não notavam nada de extraordinário a respeito da filha. Para dizer a verdade, se ela entrasse em casa se arrastando, com uma perna quebrada, acho que nem assim eles notariam alguma coisa.

O irmão de Matilda, Michael, era um menino perfeitamente normal, mas a irmã, como eu disse, era de espantar. Com *um ano e meio* ela falava com perfeição e conhecia tantas palavras quanto a maioria dos adultos. Os pais, em vez de aplaudi-la, diziam que ela era uma tagarela barulhenta e que menininhas eram para ser vistas e não ouvidas.

Aos *três anos*, Matilda já tinha aprendido a ler, sozinha, observando os jornais e revistas que encontrava pela casa. Com *quatro anos* já conseguia ler rápida e corretamente e começou, naturalmente, a se interessar com avidez por livros. O único livro que havia em sua casa tão culta era de sua mãe e se chamava *Cozinha sem mistérios*. Depois de ler o livro de ponta a ponta e decorar todas as receitas, Matilda quis alguma coisa mais interessante.

– Papai, será que você pode me comprar um livro? – ela pediu.

– Um *livro*? – o pai se espantou. – Para que você quer um livro?

– Para ler, papai.

– Mas e a televisão? Compramos uma TV linda, de doze polegadas, e você vem me pedir um livro! Você anda muito cheia de vontades, menina!

Quase todas as tardes, Matilda ficava sozinha em casa. O irmão (cinco anos mais velho do que ela) ia para a escola. O pai ia para o trabalho e a mãe saía para jogar bingo numa cidade a doze quilômetros de distância. A sra. Losna era viciada em bingo e jogava cinco tardes por semana. Aquela tarde, depois que seu pai se recusou a lhe comprar um livro, Matilda saiu sozinha e foi até a biblioteca pública da pequena cidade onde morava. Ao chegar, foi falar com a bibliotecária, a sra. Felps. Perguntou se podia sentar-se um pouco para ler um livro. A sra. Felps, apesar de ficar meio surpresa em ver chegar uma menina tão pequena sem a companhia de um dos pais, disse-lhe que ficasse à vontade.

– Por favor, onde estão os livros infantis? – Matilda perguntou.

– Estão ali, naquelas prateleiras mais baixas – a sra. Felps a orientou. – Quer que eu ajude você a encontrar um bem bonito com muitas figuras?

– Não, obrigada – Matilda disse. – Acho que consigo me virar sozinha.

Desse dia em diante, todas as tardes, logo depois que a mãe saía para o bingo, Matilda ia até a biblioteca. Era uma caminhada de apenas dez minutos, e assim lhe sobravam duas horas gloriosas para ficar sentada em silêncio, sozinha, num canto tranquilo, devorando um livro atrás do outro. Depois de ler todos os livros infantis da biblioteca, ela passou a percorrer as estantes em busca de alguma outra coisa.

A sra. Felps, que a observara fascinada durante as últimas semanas, levantou-se e foi falar com ela.

– Posso ajudá-la, Matilda?

– Estou pensando no que posso ler agora – Matilda disse. – Terminei todos os livros infantis.

– Quer dizer que já viu todas as figuras?

– Vi, mas também li os livros.

A sra. Felps olhou para Matilda lá de cima e Matilda olhou para ela lá de baixo.

– Achei alguns muito ruins – Matilda continuou –, mas outros são ótimos. O que eu mais gostei foi *O jardim secreto*. É cheio de mistério. O mistério do quarto atrás da porta fechada e o mistério do jardim atrás do muro alto.

A sra. Felps estava pasma.

– Quantos anos você tem, Matilda?

– Quatro anos e três meses – a menina respondeu.

A sra. Felps ficou mais espantada ainda, mas teve o bom senso de não demonstrar.

– Que tipo de livro você gostaria de ler agora? – ela perguntou.

– Queria um livro bom de verdade, daqueles que os adultos leem. Um livro famoso. Não sei de nenhum título.

A sra. Felps foi percorrendo lentamente as prateleiras. Não sabia muito bem o que escolher. *Como se escolhe um livro adulto famoso para uma menina de quatro anos?*, perguntava a si mesma. Sua primeira ideia foi pegar um romance para adolescentes, daqueles que são escritos para meninas de seus quinze anos; mas, por alguma razão, ela caminhou instintivamente para uma estante específica.

– Tente este – disse ela, finalmente. – É muito famoso e muito bom. Se for longo demais para você, é só falar comigo, que eu procuro algum outro mais curto e um pouco mais fácil.

– *Grandes esperanças* – Matilda leu –, de Charles Dickens. Eu gostaria muito de tentar ler este.

Devo ter perdido o juízo, a sra. Felps pensou. Mas para Matilda ela disse:

– Sim, tente mesmo.

Nas tardes que se seguiram, a sra. Felps não conseguia tirar os olhos daquela garotinha, que ficava sentada horas e horas na poltrona do fundo da sala, com o livro aberto no colo. O livro era muito pesado para Matilda segurá-lo levantado. Então ela o apoiava no colo e se inclinava para a frente para conseguir ler. Era estranho ver aquela pessoinha de cabelos escuros, cujos pés nem alcançavam o chão, sentada ali, totalmente absorvida pelas maravilhosas aventuras de Pip e da velha srta. Havisham, com sua casa cheia de teias de aranha, e pela magia que Dickens, o grande

contador de histórias, tecera com suas palavras. O único movimento que a leitora fazia era erguer a mão de tempos em tempos para virar uma página. A sra. Felps sempre ficava triste quando chegava a hora de atravessar a sala e dizer:

– São dez para as cinco, Matilda.

Durante a primeira semana das visitas de Matilda, a sra. Felps lhe perguntara:

– Sua mãe traz você até aqui e depois a leva para casa?

– Minha mãe vai jogar bingo em Aylesbury todas as tardes – Matilda respondera. – Ela não sabe que eu venho aqui.

– Mas isto não está certo. Acho melhor você pedir permissão a ela.

– Prefiro não fazer isso. Ela não me incentiva a ler livros. Nem meu pai.

– Mas o que eles esperam que você fique fazendo a tarde inteira em uma casa vazia?

– Eles acham que eu fico à toa, só vendo televisão.

– Ah, sei.

A sra. Felps ficou preocupada com a segurança da menina, andando sozinha pela rua movimentada, mas resolveu não interferir.

Uma semana depois, Matilda havia terminado *Grandes esperanças*, que, naquela edição, tinha quatrocentas e onze páginas.

– Adorei – ela disse para a sra. Felps. – Dickens escreveu outros livros?

– Muitos – informou a sra. Felps, estupefata. – Quer que eu escolha outro para você?

Durante os seis meses seguintes, sob o olhar atento e solidário da sra. Felps, Matilda leu os seguintes livros:

Nicholas Nickleby, de Charles Dickens
Oliver Twist, de Charles Dickens
Jane Eyre, de Charlotte Brontë
Orgulho e preconceito, de Jane Austen
Tess, de Thomas Hardy
Kim, de Rudyard Kipling
O homem invisível, de H. G. Wells
O velho e o mar, de Ernest Hemingway
O som e a fúria, de William Faulkner
As vinhas da ira, de John Steinbeck
Os bons companheiros, de J. B. Priestley
O condenado, de Graham Greene
A revolução dos bichos, de George Orwell

Era uma lista impressionante, e a sra. Felps estava cada vez mais admirada e entusiasmada, mas talvez fosse bom ela controlar sua empolgação. Qualquer outra pessoa, ao observar aquela criança, ficaria tentada a fazer o maior alarde e espalhar o assunto por toda a cidade, mas não a sra. Felps. Ela era uma pessoa que só cuidava do que era da sua conta e que havia aprendido que raramente valia a pena se meter na vida dos filhos dos outros.

– Hemingway diz muita coisa que eu não entendo – Matilda comentou com ela. – Principalmente sobre homens e mulheres. Mas eu adorei assim mesmo. O jeito que ele tem de contar as coisas me faz sentir como se eu estivesse ali, vendo tudo acontecer.

– Um bom escritor sempre fará você sentir isso – disse a sra. Felps. – E não se preocupe com os trechos que você não entender. Recoste-se na cadeira e deixe as palavras fluírem em você, como música.

– Vou fazer isso.

– Você sabia que bibliotecas públicas como esta emprestam os livros para as pessoas lerem em casa? – a sra. Felps disse.

– Eu não sabia. Será que *eu* poderia fazer isso? – a menina perguntou.

– Com certeza – a sra. Felps garantiu. – Depois que você escolher o livro que deseja, traga-o para mim. Vou preencher uma ficha e você pode ficar com ele por duas semanas. Se quiser, pode levar mais de um.

A partir de então, Matilda passou a ir à biblioteca apenas uma vez por semana, para devolver os livros que terminara de ler e retirar outros. Seu pequeno quarto de dormir tornou-se sua sala de leitura. Quase todas as tardes ela se sentava para ler, frequentemente com uma caneca de chocolate a seu lado. Matilda não tinha tamanho para alcançar as coisas na cozinha, mas ela guardava um caixotinho lá fora e, quando precisava, ia buscá-lo para subir nele e pegar o que queria. O que ela mais fazia era chocolate quente; primeiro colocava o leite numa panela, esquentava-o no fogão e depois misturava o chocolate. Era gostoso levar uma bebida quente para o quarto e deixá-la a seu lado enquanto lia quietinha, durante a tarde, na casa vazia. Os livros a transportavam para mundos novos e a apresentavam a pessoas diferentes, que viviam vidas incríveis. Matilda navegou em veleiros antigos com Joseph Conrad. Foi para a África com Ernest Hemingway e para a Índia com Rudyard Kipling. Viajou pelo mundo todo sentada em seu quartinho numa cidadezinha inglesa.

Sr. Losna, o grande revendedor de carros

Os pais de Matilda tinham uma boa casa, com três quartos no andar de cima e, no térreo, uma sala de jantar, uma sala de estar e uma cozinha. O pai era revendedor de carros usados, e seus negócios pareciam dar certo.

– Serragem é um dos grandes segredos do meu sucesso – ele dizia, com orgulho. – E não me custa nada. Consigo de graça na serraria.

– Para que você usa serragem? – Matilda perguntou certo dia.

– Ora! – seu pai exclamou. – Então você não sabe?

– Não entendo como é que serragem pode ajudar você a vender carros usados, papai.

– É porque você é uma ignorante – o pai disse. Suas respostas nunca eram muito gentis, mas Matilda já estava acostumada. Ela também sabia que o pai gostava de contar vantagem e o instigava abertamente.

– Você deve ser muito esperto para encontrar utilidade para uma coisa que não custa nada. Bem que eu gostaria de ser capaz disso.

– Mas não é. Você é muito burra. Mas vou contar para o meu garotão, Mike, pois algum dia ele há de trabalhar comigo.

E, ignorando Matilda, virou-se para o filho:

– Sempre fico muito contente quando compro um carro de algum idiota que arranhou tanto as marchas, até o câmbio ficar gasto e barulhento. Compro o carro bem baratinho e, depois, é só misturar serragem no óleo do câmbio que ele fica macio como novo.

– Quanto dá para o carro andar assim até as marchas começarem a arranhar de novo? – Matilda perguntou.

– O suficiente para o comprador estar bem longe – o pai respondeu, sorridente. – Uns cento e cinquenta quilômetros.

– Mas isso é desonesto, papai – Matilda protestou. – É enganar as pessoas

– Ninguém fica rico sendo honesto – o pai revidou. – Cliente existe para ser enrolado.

O sr. Losna era um homem baixo e magro. Ele parecia um rato, com aquele seu bigode fininho e os dentes da frente saltados para fora. Gostava de usar paletós de tecido xadrez enorme e de cores vivas, com gravatas amarelas ou verde-claras. Ele prosseguiu:

– Veja, por exemplo, a quilometragem. Ao comprar um carro usado, a primeira coisa que a pessoa quer saber é quantos quilômetros ele já rodou, certo?

– Certo – o filho concordou.

– Então eu compro uma lata velha, um carro bem barato, com mais de duzentos mil quilômetros no mostrador. Mas ninguém vai comprar um carro com uma quilometragem dessas, certo? Hoje em dia, não dá mais para tirar o velocímetro e voltar os números para trás, como se costumava fazer há dez anos. Hoje é impossível mexer nos velocímetros, a não ser que você seja um relojoeiro ou coisa assim. Então, o que eu faço? Eu uso a cabeça, garoto!

– Como? – perguntou o pequeno Michael, fascinado. Ele parecia ter herdado do pai o gosto pela vigarice.

– Eu paro e me pergunto: como posso transformar uma quilometragem de duzentos mil em apenas dez mil sem desmontar o velocímetro? Bem, se eu andasse com o carro em marcha a ré por uma distância suficiente, isso iria acontecer, os números rodariam para trás. Mas quem é que vai dirigir uma droga de carro em marcha a ré por milhares e milhares de quilômetros? É impossível!

– É mesmo – concordou Michael.

– Então eu ponho a cabeça para funcionar. Uso o cérebro. Uma cabeça boa como a minha é feita para usar. E, de repente, a resposta aparece. Vou dizer uma coisa, eu me senti como aquele outro cara brilhante deve ter se sentido quando descobriu a penicilina. "Eureka!", eu gritei. "Já sei!"

– O que você fez, papai? – o filho perguntou.

– O velocímetro funciona por meio de um cabo ligado a uma das rodas da frente. Então, primeiro eu desliguei o cabo da roda. Depois, peguei uma furadeira elétrica de alta velocidade e a conectei à extremidade do cabo, de tal modo que, quando a furadeira girava, ela fazia o cabo virar *para trás*. Você está entendendo? Está acompanhando meu raciocínio?

– Estou, pai – Michael respondeu.

– Essas furadeiras giram com uma velocidade espantosa – o sr. Losna prosseguiu. – Quando eu ligo a furadeira, os números no velocímetro voam para trás. Consigo tirar cinquenta mil quilômetros do mostrador em poucos minutos. No fim, o carro está com apenas dez mil quilômetros rodados, pronto para ser vendido. "Está quase novo", eu digo para o comprador. "Só dez mil quilômetros. Pertenceu a uma senhora de idade que só o usava uma vez por semana para ir ao supermercado.

– Você consegue mesmo fazer a quilometragem voltar para trás com uma furadeira elétrica? – o pequeno Michael espantou-se.

– Isso é segredo profissional. Portanto, não saia espalhando isso para os outros, senão ainda vou parar na cadeia.

– Não vou contar para ninguém – o menino prometeu. – Você faz isso com muitos carros, papai?

– Todos os carros que passam pelas minhas mãos recebem algum tratamento especial. A quilometragem de todos é reduzida para menos de dez mil antes de eles serem colocados à venda. E pensar que é invenção minha! – ele acrescentou, com orgulho. – Isso me rendeu rios de dinheiro!

Matilda, que estava ouvindo tudo atentamente, protestou:

– Mas, papai, isso é mais desonesto do que a história da serragem. É horrível! Está enganando pessoas que confiam em você.

– Se não está gostando, não coma a comida desta casa – o pai revidou. – Ela é comprada com os lucros desse trabalho.

– É dinheiro sujo – Matilda insistiu. Odeio isso.

O sr. Losna ficou vermelho de raiva.

– Quem você pensa que é? – ele gritou. – O arcebispo da Cantuária, para ficar me dando sermões sobre honestidade? Você é uma pirralha ignorante, não tem a menor ideia do que está falando!

– Certíssimo, Harry – a mãe interveio, voltando-se depois para Matilda: – Sua atrevida, não fale desse jeito com seu pai. Agora, cale essa boca e nos deixe ver televisão em paz.

Eles estavam na sala de estar, jantando na frente da televisão, cada um com seu prato no colo. Eram daquelas refeições compradas prontas, que vêm em pratos de alumínio, com divisões para a carne ensopada, as batatas cozidas e as ervilhas. A sra. Losna mastigava com os olhos grudados na novela. Era uma mulher grande, tinha os cabelos tingidos de loiro platinado, com alguns fios castanhos crescendo perto das raízes.

Usava muita maquiagem e tinha as formas bojudas, como se a carne tivesse sido amarrada ao corpo para não despencar.

– Mamãe – Matilda disse –, você se importa que eu vá comer na sala de jantar para poder ler meu livro?

O pai olhou para ela furioso.

– *Eu* me importo! – disparou. – O jantar é um momento de reunião da família e ninguém sai da mesa até todos terminarem!

– Mas nós não estamos na mesa – Matilda disse. – Nunca estamos. Sempre comemos com o prato nos joelhos, vendo televisão.

– E o que há de errado em ver televisão? – o pai perguntou. De repente sua voz tornara-se macia e perigosa.

Matilda não tinha autoconfiança suficiente para responder, por isso manteve-se calada. A raiva crescia dentro dela. A menina sabia que era errado odiar os pais daquela maneira, mas achava difícil não sentir aquilo. Suas leituras haviam lhe dado uma visão de vida que eles jamais tinham conhecido. Se eles pelo menos lessem um pouco de Dickens ou Kipling, logo descobririam que a vida era mais do que enganar as pessoas e ver televisão.

Outra coisa. Ela se ressentia por ser chamada constantemente de ignorante e burra, quando sabia que isso não

era verdade. A raiva dentro dela continuava crescendo e à noite, deitada na cama, Matilda tomou uma decisão: sempre que o pai ou a mãe fossem rudes com ela, iria vingar-se de alguma maneira. Uma ou duas pequenas vitórias a ajudariam a tolerar as idiotices deles e evitariam que ela perdesse a cabeça. Você deve lembrar que ela ainda não tinha cinco anos. Pois não é fácil para uma criança tão pequena enfrentar um adulto todo-poderoso. Mesmo assim, Matilda estava decidida. Depois do que havia acontecido naquela noite diante da televisão, o pai era o primeiro da lista.

O chapéu e a Supercola

Na manhã seguinte, um pouco antes de seu pai sair para aquela abominável garagem de carros usados, Matilda foi de mansinho até o capeiro e pegou o chapéu que ele usava todos os dias para trabalhar. Teve que ficar na ponta dos pés e esticar-se o mais alto possível, com uma bengala na mão, para derrubar o chapéu do cabide, e mesmo assim quase não conseguiu. Aquele chapéu de copa lisa e aba virada, com uma pena de gaio na faixa, era o maior orgulho do sr. Losna. Ele achava que o chapéu lhe dava um ar ousado, especialmente quando o usava meio inclinado na cabeça, junto com o paletó xadrez berrante e a gravata verde.

Matilda, com um tubinho de Supercola na mão, foi soltando um fio contínuo de cola por dentro da borda do chapéu. Depois, cuidadosamente, tornou a pendurá-lo no gancho com a ajuda da bengala. Cronometrou preci-

samente toda a operação, aplicando a cola no momento em que o pai se levantava da mesa do café.

O sr. Losna não notou nada ao colocar o chapéu, mas, quando chegou à garagem, não conseguiu tirá-lo. A Supercola é tão potente que chega a arrancar a pele quando se puxa com muita força.

O sr. Losna não queria ser escalpelado, portanto teve que ficar de chapéu o dia todo, mesmo enquanto colocava serragem nas caixas de câmbio e alterava a quilometragem dos carros com a furadeira elétrica. Tentando manter as aparências, adotou uma atitude de naturalidade, esperando que os empregados achassem que ele *queria* mesmo ficar com o chapéu o dia inteiro, como os gângsteres fazem nos filmes.

À noite, ao chegar em casa, ele ainda não tinha conseguido tirar o chapéu da cabeça.

– Não seja bobo – sua mulher disse. – Venha aqui, eu tiro para você.

Ela puxou o chapéu com um movimento brusco, e o sr. Losna deu um grito que fez estremecer os vidros das janelas.

– Ai-i-i-i! – ele gritou. – Não faça isso! Largue! Você vai arrancar a pele da minha testa!

Matilda, acomodada na poltrona de sempre, observava o espetáculo, espiando por cima do livro que estava lendo.

– Qual é o problema, papai? – ela perguntou. – Sua cabeça inchou de repente?

O pai lançou um olhar ameaçador para a filha, com uma terrível suspeita, mas não disse nada. E nem poderia.

– *Deve* ser Supercola. Não pode ser outra coisa – a sra. Losna concluiu. – Isso vai lhe ensinar a não ficar brincando com essas coisas. Vai ver você estava querendo grudar mais uma pena nesse chapéu.

– Eu nem peguei nessa maldita cola! – o sr. Losna esbravejou. Voltou a olhar para Matilda, que o fitava com seus inocentes olhos castanhos.

– Você devia ler o rótulo do tubo antes de mexer com produtos perigosos – a sra. Losna prosseguiu. – Siga sempre as instruções do rótulo.

– Mas do que você está falando, sua idiota? – o sr. Losna gritou, agarrando as abas do chapéu para impedir que

alguém o puxasse de novo. – Acha que eu sou tão estúpido a ponto de colar esta coisa na minha cabeça de propósito?

– Um menino aqui da rua derramou Supercola no dedo sem perceber e, depois, enfiou o dedo no nariz – Matilda contou.

O sr. Losna deu um pulo da cadeira.

– E o que aconteceu com ele?

– O dedo ficou preso no nariz – Matilda disse. – Ele teve que andar assim por uma semana. As pessoas ficavam falando: "Tire o dedo do nariz", mas ele não podia fazer nada. Parecia um bobo.

– Bem feito – interveio a sra. Losna. – Para começar, isso não é lugar de enfiar o dedo. É um hábito muito feio, que certamente acabaria se passassem Supercola no dedo de todas as crianças.

– Os adultos também fazem isso, mamãe – Matilda comentou. – Ontem, na cozinha, eu vi você enfiar o dedo no nariz.

– Chega! – a sra. Losna exclamou, corando.

O sr. Losna teve que ficar de chapéu durante o jantar, na frente da televisão. Ele estava ridículo e ficou calado o tempo todo.

Quando subiu para o quarto, ele tentou mais uma vez tirar o chapéu. Sua mulher também puxou, mas não adiantou nada.

– Como eu vou fazer para tomar banho? – ele perguntou.

Acho melhor você ficar sem banho hoje – a mulher disse. Mais tarde, observando o marido magrelo andando em volta da cama com ar amuado, de pijama roxo listrado e chapéu de abas viradas, reparou que ele parecia mesmo um idiota, que não era, de forma nenhuma, o tipo de homem com que uma mulher sonha.

O sr. Losna descobriu que o pior de tudo aquilo era ter que dormir de chapéu. Era impossível deitar confortavelmente no travesseiro.

– Pare de se mexer – sua mulher reclamou, depois de ele ficar virando de um lado para outro durante quase uma hora. – De manhã já vai estar mais solto e você vai conseguir tirá-lo sem problemas.

Mas de manhã o chapéu continuava bem preso à cabeça do sr. Losna. Então a sra. Losna pegou uma tesoura e cortou o chapéu pedaço por pedaço, primeiro a copa e depois as abas. Onde a borda havia grudado no cabelo, em toda a lateral e na parte de trás da cabeça, foi preciso cortar o cabelo rente à pele. No final da operação, o pai de Matilda estava com uma faixa de pele careca em torno da cabeça, como uma espécie de monge. Na testa, onde o chapéu grudara diretamente na pele, ficaram vários pedacinhos de couro marrom, que nada conseguira remover.

No café da manhã, Matilda lhe disse:

– Você *devia* tentar tirar esses pedaços da testa, papai. Parecem insetos marrons andando na sua cabeça. As pessoas vão pensar que você tem piolho.

– Fique quieta! – o pai se irritou. – Faça o favor de manter essa boca fechada!

No final das contas, acabou sendo uma experiência satisfatória. Mas era demais esperar que tivesse servido de lição permanente a seu pai.

O fantasma

Depois do episódio da Supercola, a casa dos Losna manteve-se em relativa calma por uma semana. A experiência havia abrandado visivelmente o sr. Losna e ele parecia ter perdido, temporariamente, o gosto por se vangloriar e contar vantagens.

Então, de repente, ele voltou a atacar. Pode ser que naquele dia tivesse enfrentado problemas na garagem, talvez não tivesse vendido tão bem quanto esperava seus carros caindo aos pedaços. Há muitas coisas que fazem um homem chegar irritado do trabalho; uma mulher sensata costuma notar os sinais de tempestade e deixar o marido em paz até ele esfriar um pouco a cabeça.

Quando o sr. Losna chegou da garagem naquela noite, uma sombra velava seu rosto, e via-se que ele estava prestes a descarregar seu mau humor em cima de alguém a qualquer momento. Sua mulher reconheceu os sinais imediatamente e sumiu de cena. Ele entrou na sala. Matilda estava sentada numa poltrona, totalmente absorvida pela leitura de um livro. O sr. Losna ligou a televisão. A tela se iluminou. Estava passando um programa barulhento. O sr. Losna olhou irritado para Matilda. Ela não se movera. Já tinha aprendido a bloquear os ouvidos contra os sons desagradáveis da televisão. Continuou a ler, imperturbável, e por alguma razão isso enfureceu o pai. Talvez sua raiva tenha aumentado por ver a filha desfrutando de alguma coisa que ele não alcançava.

– Você *nunca* para de ler? – ele esbravejou.

– Ah, boa noite, papai – ela disse, com simpatia. – Teve um bom dia?

– O que é esse lixo? – ele perguntou, arrancando o livro das mãos da filha.

– Não é lixo, papai. É um livro muito bonito. Chama-se *O potro vermelho*. É de John Steinbeck, um escritor norte-americano. Quer ler? Você vai adorar.

– Porcaria – o sr. Losna resmungou. – Se é de um norte-americano, só pode ser porcaria. É só o que eles sabem escrever.

– Não, papai, é bonito mesmo. É sobre...

– Não me interessa – o sr. Losna interrompeu. – Estou cansado dessas suas leituras. Vá procurar alguma coisa útil para fazer. – E, num ataque de fúria, ele começou a arrancar as páginas do livro e a jogá-las na cesta de lixo.

Matilda ficou paralisada de susto. O pai continuou a rasgar as páginas. Era evidente que ele estava sentindo alguma espécie de inveja. A cada página que o pai rasgava, parecia estar perguntando a Matilda como ela ousava gostar de ler, se ele não conseguia ter esse prazer.

– Esse livro é da biblioteca! – Matilda gritou. – Não é meu! Tenho que devolver para a sra. Felps!

– Então você vai ter que comprar outro, não é? – o pai disse, arrancando o resto das páginas.

– Vai ter que economizar sua mesada até conseguir comprar um livro novo para sua querida sra. Felps, não é? – Ele jogou a capa do livro no cesto do lixo, saiu da sala e deixou a televisão gritando sozinha.

A maioria das crianças, no lugar de Matilda, teria começado a chorar. Mas não foi isso que ela fez. Ficou ali sentada, muito quieta, pálida e pensativa. Sabia que chorar ou fazer cara feia não ia adiantar nada. A única coisa

sensata a fazer quando alguém nos ataca é contra-atacar, como disse Napoleão. A mente viva e sutil de Matilda já estava tramando mais um castigo para o pai. O plano que começava a tomar forma em sua cabeça dependia de que o papagaio de Fred fosse tão bom quanto o menino dizia.

Fred era um amigo de Matilda. Tinha seis anos e morava logo virando a esquina. Havia dias ele só falava nas façanhas do papagaio que ganhara do pai.

Portanto, na tarde seguinte, assim que a sra. Losna saiu de carro para mais uma sessão de bingo, Matilda foi até a casa de Fred para averiguar. Bateu na porta e pediu para ver a famosa ave. Fred ficou radiante com o pedido e levou Matilda até seu quarto, onde, dentro de uma gaiola bem alta, um lindo papagaio azul e amarelo estava pousado no poleiro.

– Aí está ele – Fred disse. – Seu nome é Chopper.

– Faça-o falar – Matilda pediu.

– Não dá para *fazer* o Chopper falar – Fred explicou. – É preciso ter paciência. Ele fala quando tem vontade.

Os dois ficaram por perto, esperando. De repente, o papagaio disse:

– Olá, olá, olá.

Era exatamente como uma voz humana.

– É incrível! – Matilda disse, espantada. – O que mais ele sabe falar?

– Chacoalhe meus ossos! – o papagaio disse, numa imitação incrível de uma voz de fantasma. – Vou chacoalhar os ossos!

– Ele vive dizendo isso – Fred comentou.

– O que mais ele fala? – Matilda quis saber.

– Só isso. Mas ele é fantástico, não acha?

– É fabuloso. Você me empresta o Chopper só por uma noite?

– Não – Fred recusou. – De jeito nenhum.

– Eu lhe dou uma semana da minha mesada – Matilda propôs.

Aquilo já era outra história. Fred pensou por alguns segundos.

– Está bem. Mas você tem que me prometer que vai devolvê-lo amanhã.

Matilda voltou para sua casa vazia carregando a gaiola enorme. Havia uma grande lareira na sala de jantar, e ela tratou de empurrar a gaiola para dentro da chaminé, de jeito que não desse para vê-la. Não foi fácil, mas acabou conseguindo.

– Olá, olá, olá! – o papagaio falou lá de dentro. – Olá, olá!

– Cale a boca, seu tonto! – Matilda o repreendeu, e saiu da sala para lavar as mãos sujas de fuligem.

Naquela noite, enquanto a mãe, o pai, o irmão e Matilda jantavam na sala de estar, como sempre diante da televisão, uma voz soou em alto e bom som na sala de jantar, do outro lado do corredor.

– Olá, olá, olá!

– Harry! – a mãe gritou, empalidecendo. – Tem alguém aqui dentro de casa! Ouvi uma voz!

– Eu também! – o irmão confirmou.

Matilda levantou-se num pulo e desligou a televisão.

– Pssst! Ouçam! – ela sussurrou.

Todos pararam de comer e ficaram tensos e imóveis, escutando.

– Olá, olá, olá! – a voz soou outra vez.

– De novo! – o irmão gritou.

– São ladrões! – a mãe disse, em voz baixa. Estão na sala de jantar!

– Acho que são mesmo – o pai disse, enrijecendo o corpo.

– Então vá até lá pegá-los, Harry! – a mãe pediu. – Vá e dê um jeito neles!

O pai não se moveu. Não parecia estar com pressa de sair da poltrona e tornar-se um herói.

Ele fechou a cara.

– Ande logo com isso! – a mãe insistiu. – Eles devem estar querendo as pratarias!

O marido, nervoso, limpou os lábios com o guardanapo.

– Por que não vamos todos juntos dar uma espiada? – ele sugeriu.

– Então, vamos – o irmão concordou. – Vamos, mamãe.

– Eles estão mesmo na sala – Matilda murmurou. – Tenho certeza.

A mãe pegou um atiçador na lareira. O pai passou a mão num taco de golfe que estava encostado num canto. O irmão agarrou o abajur de mesa, arrancando o fio da tomada. Matilda pegou a faca com que estava comendo, e os quatro juntos esgueiraram-se até a porta da sala de jantar. O pai manteve-se bem atrás dos outros.

– Olá, olá, olá! – a voz disse outra vez.

– Vamos! – Matilda gritou, abrindo a porta e entrando na sala com a faca em punho. – Mãos ao alto! Pegamos você!

Os outros a seguiram, agitando as armas. Então, todos pararam e olharam em volta. Não havia ninguém ali.

– Não tem ninguém aqui – o pai disse, aliviado.

– Mas eu ouvi, Harry – a mãe insistiu, ainda trêmula. – Ouvi nitidamente a voz dele! Você também ouviu!

– Tenho certeza de que ouvi! – Matilda garantiu. – Ele deve estar por aqui! – E ela começou a procurar atrás do sofá e das cortinas.

De repente, a voz soou de novo. Só que, desta vez, em um tom sussurrante e fantasmagórico.

– Chacoalhe meus ossos. Chacoalhe meus ossos.

Todos pularam de susto, inclusive Matilda, que era uma ótima atriz. Olharam em volta e mais uma vez não viram ninguém.

– É um fantasma – Matilda murmurou.

– Cruz credo! – gritou a mãe, agarrando-se ao pescoço do marido.

– Sei que é um fantasma – Matilda repetiu. – Não é a primeira vez que eu o ouço. Esta sala é mal-assombrada! Pensei que vocês soubessem.

– Valha-nos Deus! – a mãe berrou, quase enforcando o marido.

– Vou dar o fora daqui – o pai disse, mais pálido do que nunca. Todos saíram voando e bateram à porta.

Na tarde seguinte, Matilda tirou um papagaio meio sujo e mal-humorado da chaminé, saiu sem ser vista pela porta dos fundos e correu até a casa de Fred.

– Ele se comportou direitinho? – Fred quis saber.

– Ah, nós nos divertimos muito com ele – Matilda disse. – Meus pais o adoraram.

Matemática

Matilda tinha muita vontade de que seus pais fossem bons, amorosos, compreensivos, honrados e inteligentes. Mas tinha de conviver com o fato de eles não serem nada disso. Não era fácil. No entanto, o novo jogo que tinha inventado de puni-los toda vez que eles a tratassem mal tornara sua vida mais ou menos suportável.

Por ser muito pequena e muito jovem, o único poder que Matilda tinha sobre os membros da sua família era o poder da mente. Seu raciocínio ágil lhe permitia vencer todos eles. Mas o fato era que, como qualquer menina de cinco anos em qualquer família, ela era obrigada a fazer o que os pais mandavam, por mais imbecis que fossem suas ordens. Assim, era sempre forçada a jantar com o prato sobre os joelhos diante da malfadada televisão. Sempre tinha que passar as tardes sozinha e também era obrigada a calar a boca quando eles mandavam.

Sua válvula de escape, o que a impedia de perder a sanidade, era a diversão de arquitetar e executar aqueles castigos incríveis, e o mais admirável era que eles pareciam funcionar, pelo menos por períodos curtos. O pai, principalmente, tornava-se menos exibido e insuportável por alguns dias, depois que recebia uma dose do remédio mágico de Matilda.

O caso do papagaio na chaminé certamente esfriara bastante os ânimos de seus pais, e por mais de uma semana eles se mostraram relativamente civilizados para com a filha. Mas lógico que aquilo não podia durar para sempre. A cena seguinte aconteceu certa noite na sala de estar. O sr. Losna acabara de chegar do trabalho. Matilda e o irmão estavam sentados em silêncio no sofá, esperando a mãe trazer o jantar na bandeja. A televisão ainda nem tinha sido ligada.

O sr. Losna entrou, com um terno xadrez extravagante e uma gravata amarela. Os quadrados cor de laranja e verdes do paletó e da calça quase ofuscavam a visão de quem os olhasse de frente. Ele parecia um corretor de jogo de azar vestido para o casamento da filha e, naquela noite, estava visivelmente satisfeito consigo mesmo. Sentou-se numa poltrona, esfregou as mãos e dirigiu-se ao filho, com voz entusiasmada.

– Garotão, seu pai hoje teve um dia muito lucrativo. Está bem mais rico agora à noite do que estava de manhã. Vendeu nada menos do que cinco carros, todos com um lucro apreciável. Serragem nas caixas de câmbio, furadeira elétrica nos velocímetros, um pouco de tinta aqui e ali e mais alguns truquezinhos, e os idiotas ficaram ansiosos para comprar.

Ele pegou um pedaço de papel no bolso e o estudou por um instante.

– Veja, garoto – ele disse, dirigindo-se ao filho e ignorando Matilda. – Já que um dia você vai entrar neste negócio comigo, precisa saber somar os lucros no fim do dia. Vá pegar papel e lápis e vamos ver se você é mesmo inteligente.

Obediente, o filho saiu da sala e voltou com o material para escrever.

– Copie estes números – o pai mandou, lendo no papel que segurava na mão. – Comprei o carro número um por duzentas e setenta e oito libras e o vendi por mil quatrocentas e vinte e cinco. Anotou?

O menino, que tinha dez anos, escreveu as quantias no papel, devagar e cuidadosamente.

- O carro número dois – o pai prosseguiu – me custou cento e dezoito libras e foi vendido por setecentas e sessenta. Anotou?

– Anotei sim, papai.

– O carro número três custou cento e onze libras e foi vendido por novecentas e noventa e nove libras e cinquenta centavos.

– Dá para repetir? – o menino pediu. – Por quanto ele foi vendido?

– Novecentas e noventa e nove libras e cinquenta centavos – o pai disse. – A propósito, esse é mais um dos meus truques inteligentes para enganar os clientes. Nunca se deve dar um número redondo muito alto como preço. O negócio é pedir um pouco abaixo. Nunca se diz "mil libras", mas novecentas e noventa e nove e cinquenta. Parece muito menos do que é na verdade. Viu como sou esperto?

– Muito – o filho concordou. – Você é brilhante, papai.

– O carro número quatro custou oitenta e seis libras, era uma lata-velha, e foi vendido por seiscentas e noventa e nove libras e cinquenta.

– Fale mais devagar – o filho pediu, anotando os números. – Pronto, pode continuar.

– O carro número cinco custou seiscentas e trinta e sete libras e foi vendido por mil seiscentas e quarenta e nove e cinquenta. Anotou todos os números, filho?

– Anotei, papai – o menino disse, debruçando-se sobre o papel e escrevendo com capricho.

– Muito bem. Agora calcule o lucro que tive em cada um dos cinco carros e some tudo. Assim você vai me dizer quanto dinheiro seu pai espertalhão ganhou hoje.

– São muitas contas – o menino resmungou.

– Lógico que são muitas contas – o pai concordou. – Mas quando você estiver fazendo grandes negócios, como eu, vai ter que ser bom em aritmética. Eu tenho praticamente um computador dentro da cabeça. Demorei menos de dez minutos para calcular tudo.

– Quer dizer que você fez de cabeça, pai? – o filho perguntou, arregalando os olhos.

– Bem, não foi exatamente de cabeça. Ninguém conseguiria. Mas não demorei quase nada. Quando tiver terminado, diga quanto acha que foi o meu lucro do dia. Tenho o total escrito neste papel e vou dizer se você acertou.

– Papai, você ganhou exatamente quatro mil trezentas e três libras e cinquenta centavos – Matilda disse, sem levantar a voz.

– Não se meta – o pai a repreendeu. – Seu irmão e eu estamos ocupados com um assunto sério.

– Mas, pai...

– Cale a boca. Pare de ficar tentando adivinhar para bancar a inteligente.

– Confira com a sua resposta, papai – Matilda pediu, suavemente. – Se você fez a conta certo, devem ser quatro mil trezentas e três libras e cinquenta centavos. Foi esse o resultado, pai?

O pai deu uma olhada no papel que estava em suas mãos e se retesou. Ficou muito quieto. A sala ficou em total silêncio.

– Diga outra vez – ele mandou, por fim.

– Quatro mil trezentas e três libras e cinquenta – Matilda repetiu.

O silêncio voltou. O rosto do pai começou a ficar vermelho.

– Tenho certeza de que está certo – Matilda disse.

– Sua... sua trapaceira! – o pai gritou de repente, apontando o dedo para ela. – Você olhou no meu papel! Você leu o que eu tinha escrito aqui!

– Pai, eu estou do outro lado da sala – Matilda defendeu-se. – Como poderia ter lido?

– Não me venha com desculpas! – o pai irritou-se. – Óbvio que você olhou! Só pode ter olhado! Ninguém no mundo poderia dar a resposta certa desse jeito, especialmente uma menina! Você é uma trapaceira, garota, é isso! Uma trapaceira mentirosa!

Nesse momento, a mãe entrou carregando a bandeja com os quatro jantares. Era peixe com batatas fritas, que a sra. Losna havia comprado na volta do bingo. As tardes de bingo a deixavam tão esgotada, física e emocionalmente, que não lhe sobrava energia nem para fazer o jantar. Então, se não fosse comida congelada, tinha de ser peixe com fritas.

– Por que você está tão vermelho, Harry? – ela perguntou, colocando a bandeja sobre a mesinha de centro.

– Sua filha é uma trapaceira mentirosa! – o pai respondeu, pegando seu prato de peixe e equilibrando-o sobre os joelhos. – Ligue a televisão e chega de conversa por hoje.

O homem loiro platinado

Matilda não tinha a menor dúvida de que aquela última injustiça do pai merecia um castigo severo. Enquanto comia aquele peixe horrível com batatas fritas e ignorava a televisão, ficou imaginando várias possibilidades. Na hora de ir para a cama, sua decisão já estava tomada.

Na manhã seguinte, Matilda se levantou cedo, entrou no banheiro e trancou a porta. Como já sabemos, o cabelo da sra. Losna era tingido de um loiro platinado brilhante, mais ou menos da mesma cor ofuscante da malha que as equilibristas de circo usam. O trabalho maior de tintura ela fazia duas vezes por ano na cabeleireira, mas uma vez por mês a sra. Losna revitalizava a cor lavando os cabelos com um líquido chamado TINTURA PARA CABELOS / LOIRO PLATINADO / EXTRAFORTE. Aquela lavagem também servia para tingir os cabelos castanhos perto das raízes. O frasco de TINTURA PARA CABELOS / LOIRO PLATINADO /

EXTRAFORTE ficava guardado no armário do banheiro, e no rótulo, bem embaixo, estava escrito: *Cuidado, contém peróxido. Mantenha longe do alcance das crianças.* Muitas vezes Matilda lera aquilo fascinada.

O pai de Matilda tinha cabelos pretos, que ele usava repartidos no meio e dos quais tinha muito orgulho.

– Cabelos bons e fortes significam que há um cérebro bom e forte por baixo – ele dizia.

– Como Shakespeare – Matilda comentou certa vez.

– Como quem?

– Shakespeare, papai.

– Ele era inteligente?

– Muito, pai.

– E ele tinha muito cabelo, não é?

– Ele era careca, pai.

– Se você só sabe falar asneira, é melhor ficar de boca fechada.

O fato é que o sr. Losna mantinha seus cabelos brilhantes e fortes, ou pelo menos era o que ele achava, esfregando-os todas as manhãs com grandes quantidades de uma loção chamada TÔNICO CAPILAR ÓLEO DE VIOLETAS. Um frasco daquela mistura lilás perfumada sempre ficava na prateleira sobre a pia do banheiro, ao lado das escovas de dentes, e uma massagem capilar vigorosa com o ÓLEO DE VIOLETAS acontecia diariamente, depois que o sr. Losna acabava de fazer a barba. Essa massagem era acompanhada de sonoros grunhidos, suspiros e exclamações: "Ahhhh, agora está melhor! Este é o segredo! Esfregar bem nas raízes!" Matilda ouvia nitidamente aqueles ruídos lá do seu quarto, do outro lado do corredor.

Bem de manhãzinha, na privacidade do banheiro, Matilda abriu o frasco de ÓLEO DE VIOLETAS e despejou três quartos do conteúdo dentro da pia. Depois, encheu o frasco com a TINTURA PARA CABELOS / LOIRO PLATINADO / EXTRAFORTE de sua mãe. Tomou o cuidado de deixar uma quantidade suficiente do tônico capilar original do pai dentro do frasco para que, ao agitá-lo com força, o líquido ainda ficasse com uma tonalidade lilás. Em seguida, recolocou o vidro na prateleira sobre a pia e voltou a guardar a tintura de sua mãe no armário. Até aí, tudo bem.

Na hora do café, Matilda sentou-se em silêncio à mesa da sala para comer seu cereal. O irmão estava à sua frente, de costas para a porta, devorando grandes pedaços de pão lambuzados com uma mistura de pasta de amendoim e geleia de morango. A mãe estava lá na cozinha, preparando o café da manhã do sr. Losna, que sempre era constituído de dois ovos fritos sobre fatias de pão frito, três linguiças, três fatias de bacon e alguns tomates fritos.

Nesse momento, o sr. Losna entrou ruidosamente na sala. Ele era incapaz de entrar em qualquer recinto de maneira discreta, ainda mais na hora do café da manhã. Sempre fazia sua presença ser notada imediatamente. Só faltava dizer: "Cheguei! Aqui está o grande homem, o chefe da casa, o trabalhador que sustenta a família, a pessoa que torna possível vocês todos viverem tão bem! Reparem em mim e me reverenciem!"

Assim, ele entrou a passos largos, deu um tapa nas costas do filho e gritou:

– Garotão, seu pai está com a sensação de que hoje vai ser mais um dia de grandes lucros na garagem! Tenho umas gracinhas para empurrar para os idiotas agora de manhã. Onde está o meu café?

– Já vai, benzinho – a sra. Losna gritou lá da cozinha.

Matilda manteve a cabeça abaixada sobre a tigela de cereal. Não ousava levantar os olhos. Em primeiro lugar, não sabia muito bem o que iria ver. Além disso, se visse o que estava imaginando, não confiava em que fosse capaz de se manter séria. O irmão estava olhando para a janela e se empanturrando de pão, creme de amendoim e geleia de morango.

O pai estava dando a volta na mesa para sentar-se à cabeceira quando a mãe entrou triunfalmente, trazendo um prato enorme com os ovos, as linguiças, o bacon e

os tomates. Ela ergueu os olhos, viu o marido e parou, petrificada. Depois soltou um grito que pareceu erguê-la no ar. O prato caiu de suas mãos e se espatifou no chão. Todos se assustaram, inclusive o sr. Losna.

– O que deu em você, mulher? – ele gritou. – Veja só a sujeira que fez no tapete!

– Seu *cabelo*! – a mulher exclamou, com a voz estridente, apontando um dedo trêmulo para o marido. – Veja o seu *cabelo*! O que você fez com o seu *cabelo*?

– O que há de errado com meu cabelo?

– Nossa, pai, o que você fez com seu cabelo? – o filho gritou.

Uma cena fantástica se armava na sala.

Matilda não disse nada. Ficou ali, sentada, admirando o maravilhoso efeito de sua obra. O belo cabelo preto do sr. Losna estava com um tom loiro sujo, da cor de uma malha de equilibrista que não tinha sido lavada durante toda a temporada do circo.

– Você... você... você *tingiu* o cabelo! – esganiçou a mãe. – Por que fez isso, seu tonto? Está horrível! Está assustador! Você parece um punk!

– Mas do que vocês estão falando? – o pai se irritou, levando as duas mãos ao cabelo. – Lógico que não tingi! Por que estão falando que eu tingi o cabelo? O que aconteceu? Será uma brincadeirinha idiota de vocês? – E o rosto dele foi ficando esverdeado, da cor de maçã ácida.

– Você só pode ter tingido, papai – o filho disse. – Está da mesma cor do cabelo da mamãe, só que é um loiro mais sujo.

– Óbvio que ele tingiu! – a mãe gritou. – A cor não podia mudar sozinha! O que você tentou fazer? Por acaso quis ficar bonito? Você parece um monstro!

– Tragam um espelho! – o pai berrou. – Não fiquem aí parados com essa cara de espanto! Tragam um espelho!

A bolsa da mãe estava sobre uma cadeira do outro lado da mesa. Ela a abriu, tirou um estojo de pó compacto que tinha um espelhinho redondo e o entregou ao marido. Ele agarrou o estojo, colocou-o diante do rosto e, no movimento apressado, derrubou a maior parte do pó no vistoso terno xadrez.

– Cuidado! – a mãe gritou. – Olhe o que você fez agora! Esse é o meu melhor pó Elizabeth Arden!

– Ah, não! – desesperou-se o pai, fitando-se no espelhinho. – O que aconteceu comigo? Estou horrível! Não posso ir para a garagem vender carros neste estado! Como isso foi acontecer? – Ele olhou à sua volta, primeiro para a mulher, depois para o filho e depois para Matilda. – *Como* isso pôde acontecer? – berrou.

– Ora, papai – Matilda disse, sem elevar a voz –, acho que você não prestou atenção e pegou o frasco de tintura da mamãe em vez de pegar o seu.

– Óbvio que foi isso! – a mãe exclamou. – Francamente, Harry, como você consegue ser tão burro? Por que não leu o rótulo antes de começar a despejar essa coisa em cima de você? A minha tintura é *terrivelmente* forte! Eu só uso uma colher de sopa de tintura dissolvida numa bacia cheia de água. E você colocou um monte, direto na cabeça! Isso é capaz de fazer cair todo o seu cabelo! Seu couro cabeludo não está começando a arder, querido?

– Quer dizer que vou perder todo o meu cabelo? – assustou-se ele.

– Acho que vai – disse a mulher. – Peróxido é uma substância química muito forte. É o que usam para desinfetar vasos sanitários, só que com outro nome.

– O que você está dizendo? – o marido gritou. – Não sou vaso sanitário! Não pretendo ser desinfetado!

– Mesmo diluído, como eu uso, faz cair um monte de cabelo – a mulher afirmou. – Sabe lá o que vai acontecer com você! Estou até admirada por você ainda estar com o couro cabeludo na cabeça!

– O que eu faço agora? – o pai gemeu. – Diga logo o que eu devo fazer, antes que o cabelo comece a cair!

– Se eu fosse você, pai, daria uma boa lavada com água e sabão – Matilda opinou. – Mas tem que ser depressa.

– Isso vai fazer a cor voltar ao normal? – o pai indagou, ansioso.

– Lógico que não, seu bobo – a mãe disse.

– Então, o que eu faço? Não posso ficar andando por aí deste jeito para sempre!

– Você vai ter que tingir o cabelo de preto – a mãe falou. – Mas lave primeiro, se quiser que sobre alguma coisa para tingir.

– Certo! – o pai gritou, correndo para a escada. – Marque uma hora com sua cabeleireira agora mesmo para fazer essa tintura! Diga que é uma emergência! Se não tiver horário, eles vão ter que tirar alguém da lista. Vou lavar a cabeça agora! – E ele subiu os degraus de dois em dois.

A sra. Losna, suspirando profundamente, foi até o telefone ligar para a cabeleireira.

– Às vezes ele faz cada bobagem… não é, mamãe? – Matilda comentou.

– Os homens nem sempre são tão espertos quanto imaginam – a mãe respondeu, discando o número no telefone. – Você aprenderá isso quando for um pouco mais velha, minha filha.

Srta. Mel

Matilda começou a frequentar a escola um pouco tarde. A maioria das crianças entra na escola com cinco anos, ou até antes, mas os pais de Matilda, que não se preocupavam muito com a educação da filha, tinham deixado passar a época de fazer a matrícula. Ela estava com cinco anos e meio quando foi à escola pela primeira vez.

A escola da cidade era um prédio desolador de tijolos à vista e chamava-se Escola Primária Crunchem Hall. Tinha cerca de duzentos e cinquenta alunos, com idades que iam de cinco a doze anos. A diretora, a chefe, a comandante suprema era uma mulher alta e forte, de meia-idade, a sra. Taurino.

Naturalmente, Matilda foi matriculada na classe mais elementar, com outros dezoito meninos e meninas mais ou menos da mesma idade que ela. A professora chamava-se srta. Mel e não devia ter mais do que vinte e três ou vinte e quatro anos. Seu rosto oval era pálido e angelical. Tinha olhos azuis e cabelos castanho-claros. Seu corpo era tão esguio e frágil que dava a impressão de que, se ela caísse, quebraria em mil pedaços, como uma boneca de porcelana.

A srta. Jennifer Mel era uma pessoa suave e tranquila, que nunca levantava a voz e raramente sorria, mas não havia dúvida de que tinha o dom de ser adorada por todas as crianças que ficavam sob seus cuidados. Parecia compreender o assombro e o medo que tantas vezes invadiam as crianças pequenas que, pela primeira vez na vida, viam-se reunidas numa sala de aula e obrigadas a cumprir ordens. Um calor humano quase palpável brilhava no rosto da srta. Mel quando ela falava com algum aluno que acabava de chegar confuso e assustado.

A sra. Taurino, a diretora, era bem diferente. Era um gigantesco terror, um monstro forte e tirânico que apavorava alunos e professores. Em torno dela sentia-se uma aura de ameaça, mesmo a distância, e, quando se aproximava, sentia-se o perigoso calor que ela irradiava, como se fosse uma barra de metal incandescente. A sra. Taurino nunca caminhava, ela sempre marchava como um soldado, com passos largos e os braços balançando ao lado do corpo. Ela marchava pelo corredor, bufando à medida que avançava. Se por acaso um grupo de crianças surgisse em seu caminho, ela passava direto, como se fosse um tanque, fazendo os pequenos alunos pularem às pressas para a esquerda e para a direita. Felizmente não há muita gente como ela neste mundo, mas pessoas assim existem, e todos nós corremos o risco de encontrar pelo menos uma na vida. Se algum dia isso acontecer com você, comporte-se como se estivesse diante de um rinoceronte enraivecido no meio da selva: suba na árvore mais próxima e fique lá até o perigo passar. É quase impossível descrever aquela mulher, com todos os detalhes de suas excentricidades e de sua aparência, mas vou tentar fazer isso um pouco mais adiante. Vamos deixá-la de lado por enquanto e voltar a Matilda e a seu primeiro dia na classe da srta. Mel.

Depois da chamada habitual, a srta. Mel entregou um livro de exercícios novinho em folha para cada aluno.

– Espero que todos tenham trazido lápis – disse.

– Sim, srta. Mel – as crianças responderam em uníssono.

– Ótimo. Bem, este é seu primeiro dia de aula. É o início de pelo menos onze longos anos de estudos que todos vocês terão que percorrer. E seis desses anos serão

passados aqui, na Crunchem Hall. Como vocês sabem, a diretora é a sra. Taurino. Para o próprio bem de vocês, vou lhes contar algumas coisas sobre a sra. Taurino. Ela faz questão de uma disciplina rígida dentro da escola. Sigam o meu conselho, façam o possível para se comportarem muito bem na presença dela. Nunca discutam com ela. Nunca retruquem ao que ela disser. Sempre façam o que ela mandar. Se ela antipatizar com vocês, será capaz de liquidá-los como se fossem uma cenoura num triturador de legumes. Não é brincadeira, Lavanda. Não há motivo para riso. Acho bom vocês não esquecerem que a sra. Taurino trata com muita severidade quem sai da linha nesta escola. Entenderam?

– Entendemos, srta. Mel – responderam dezoito vozinhas ansiosas.

– Quanto a mim, pretendo ajudá-los a aprender o máximo possível, porque sei que isso vai facilitar as coisas para vocês depois. Por exemplo, até o final da semana, espero que todos saibam de cor a tabuada do dois. E, dentro de um ano, espero que saibam todas as tabuadas, até a do doze. Isso irá ajudá-los muito no futuro. Por acaso alguém de vocês já sabe a tabuada do dois?

Matilda levantou a mão. Ela foi a única.

A srta. Mel olhou atentamente para a menininha de cabelos escuros e rosto sério sentada na segunda fila.

– Ótimo. Por favor, levante-se e diga a tabuada até onde souber.

Matilda levantou-se e começou a dizer a tabuada do dois. Quando chegou ao duas vezes doze, vinte e quatro, ela não parou. Continuou com duas vezes treze são vinte e seis, duas vezes catorze são vinte e oito, duas vezes quinze são trinta, duas vezes dezesseis...

– Pare! – a srta. Mel pediu. Ela estava fascinada com aquele desfile perfeito de números. – Até onde você sabe?

– Até onde? Não sei, srta. Mel. Acho que até bem longe – Matilda respondeu.

A srta. Mel ficou em silêncio por alguns segundos, refletindo sobre o que acabara de ouvir.

– Quer dizer que você sabe quanto são duas vezes vinte e oito?

– Sei, srta. Mel.

– Quanto são?

– Cinquenta e seis, srta. Mel.

– E um cálculo bem mais difícil, como duas vezes quatrocentos e oitenta e sete? Você sabe?

– Acho que sim – Matilda afirmou.

– Tem certeza?

– Tenho, srta. Mel.

– Então, quanto são duas vezes quatrocentos e oitenta e sete?

– Novecentos e setenta e quatro – Matilda respondeu imediatamente. Ela falava baixo e educadamente, sem dar nenhuma impressão de estar querendo se exibir.

A srta. Mel olhou para Matilda absolutamente admirada, mas voltou a falar sem alterar o tom de voz:

– Muito bem. Mas lógico que multiplicar por dois é muito mais fácil do que por alguns dos números maiores. E as outras tabuadas? Você sabe mais alguma?

– Acho que sim, srta. Mel. Sei, sim.

– Quais tabuadas você sabe, Matilda? Até onde você chegou?

– Eu... não sei – Matilda hesitou. – Não entendi bem o que a senhora quer saber.

– Por exemplo, você sabe a tabuada do três?

– Sei, srta. Mel.

– E a do quatro?

– Sei, srta. Mel.

– Bem, quantas você sabe, Matilda? Você sabe todas, até a tabuada do doze?

– Sei, srta. Mel.

– Quanto são doze vezes sete?

– Oitenta e quatro.

A srta. Mel recostou-se na cadeira, atrás de sua mesa. Estava abalada com aquela conversa, mas tomou o cuidado de não demonstrar. Nunca tinha encontrado uma criança de cinco anos, ou mesmo de dez, que soubesse multiplicar com tanta facilidade.

– Espero que todos estejam prestando bastante atenção – ela falou para a classe. – Matilda é uma menina de sorte. Tem pais maravilhosos que já a ensinaram a multiplicar. Foi sua mãe quem lhe ensinou, Matilda?

– Não, srta. Mel.

Então você deve ter um pai muito paciente. Ele deve ser um ótimo professor.

– Não, srta. Mel – Matilda disse baixinho. – Meu pai não me ensinou.

– Então você aprendeu sozinha?

– Não sei bem – Matilda respondeu com sinceridade. – É que eu não acho muito difícil multiplicar um número por outro.

A srta. Mel respirou fundo e soltou o ar devagar. Fitou novamente a menininha de olhos brilhantes, parada ao lado da carteira, com a carinha séria e solene.

– Você diz que não acha difícil multiplicar um número por outro. Tente explicar como você faz isso.

– Eu… eu não sei…

A srta. Mel esperou. A classe estava em silêncio, todos ouvindo.

– Por exemplo – a srta. Mel a ajudou –, se eu lhe pedisse que multiplicasse catorze por dezenove… não, essa é muito difícil…

– São duzentos e sessenta e seis – Matilda respondeu, timidamente.

A srta. Mel a encarou. Em seguida, pegou um lápis e fez rapidamente a conta no papel.

– Quanto você disse que dava a conta? – indagou, fitando Matilda.

– Duzentos e sessenta e seis.

A srta. Mel baixou o lápis, tirou os óculos e começou a limpar as lentes com um lenço de papel. A classe permaneceu em silêncio, observando e esperando para ver o que ia acontecer. Matilda continuava de pé ao lado da carteira.

– Agora, Matilda, tente me explicar exatamente o que acontece na sua cabeça quando você faz uma multiplicação como essa – a srta. Mel disse, ainda limpando os óculos. – É evidente que você faz algum tipo de raciocínio, mas você chega ao resultado quase imediatamente. Pense, por exemplo, na conta que você acabou de fazer, catorze vezes dezenove.

– Eu... eu... só separo o catorze na minha cabeça e multiplico por dezenove – Matilda murmurou. – Não sei explicar. Sempre imaginei que, se uma pequena calculadora de bolso consegue fazer isso, eu também deveria conseguir.

– De fato – a srta. Mel concordou. – O cérebro humano é surpreendente.

– Acho que ele é muito melhor do que um punhado de metal – Matilda disse. – E uma calculadora não é mais do que isso.

– Tem razão. Mas, de qualquer forma, nesta escola não é permitido usar calculadoras.

A srta. Mel estava perturbada. Não tinha dúvida de que havia encontrado um cérebro com uma aptidão extraordinária para a matemática, e por sua cabeça passavam definições como gênio e criança prodígio. Sabia que pessoas assim surgiam no mundo de tempos em tempos, mas apenas uma ou duas vezes a cada cem anos. Afinal, Mozart tinha apenas cinco anos quando começou a compor ao piano, e todos sabem o que aconteceu com ele.

– Isso não é justo – Lavanda reclamou. – Por que ela é capaz e nós não?

– Não se preocupe, Lavanda, vocês logo vão alcançá-la – mentiu a srta. Mel.

E a professora não resistiu à tentação de explorar um pouco mais a mente daquela criança surpreendente. Sabia que devia dar um pouco de atenção ao restante da classe, mas estava muito entusiasmada com aquele caso.

– Bem – ela disse, fingindo dirigir-se à classe inteira –, vamos deixar as contas de lado por um momento e ver se algum de vocês já começou a aprender a soletrar. Quem souber soletrar "gato" levante a mão.

Três mãos se levantaram. Elas pertenciam a Lavanda, a um garotinho chamado Nigel e a Matilda.

– Soletre "gato", Nigel.

Nigel soletrou.

A srta. Mel resolveu, então, fazer uma pergunta que normalmente nem sonharia em dirigir à classe no primeiro dia de aula.

– Alguém de vocês três que sabem soletrar "gato" seria capaz de ler um grupo de palavras que formam uma oração?

– Eu sei – Nigel afirmou.

– Eu também – disse Lavanda.

A srta. Mel foi até o quadro, pegou o giz branco e escreveu a oração: *Eu já aprendi a ler orações longas.* De propósito, ela escreveu uma oração difícil, sabendo que poucas crianças de cinco anos dariam conta do recado.

– Pode me dizer o que está escrito aqui, Nigel? – perguntou.

– Essa é muito difícil – Nigel reclamou.

– Lavanda?

– A primeira palavra é "Eu" – Lavanda respondeu.

– Alguém consegue ler a oração inteira? – a srta. Mel perguntou, esperando pelo "sim" que certamente viria de Matilda.

– Eu consigo – Matilda disse.

– Então leia.

Matilda leu a oração sem hesitar nem uma vez.

– Muito bem – disse a srta. Mel, moderando sua admiração. – O que mais você consegue ler, Matilda?

– Acho que consigo ler quase tudo, srta. Mel. Só que nem sempre consigo entender o sentido.

A srta. Mel levantou-se e saiu depressa da sala. Voltou em trinta segundos com um livro grosso na mão. Abriu-o ao acaso e colocou-o sobre a carteira de Matilda.

– Este é um livro de poemas humorísticos. Veja se consegue ler o primeiro desta página, em voz alta.

Fluentemente, sem vacilar e numa cadência adequada, Matilda começou a ler:

Um gastrônomo em meio ao jantar
Vê um rato em seu lindo manjar.
Diz o maître: "Calado,
não mostre seu achado,
pois os outros vão querer provar."

Várias crianças entenderam a graça dos versos e deram risada.

– Você sabe o que é um gastrônomo, Matilda? – a srta. Mel perguntou.

– É uma pessoa muito exigente com comida.

– Isso mesmo. E você sabe como se chama esse tipo de poema?

– É uma quintilha – Matilda respondeu. – E essa é muito engraçada, é uma quintilha humorística.

– Esse poema é bem conhecido.

A srta. Mel pegou o livro, retornou à sua mesa e voltou-se para a classe:

– É muito difícil escrever uma quintilha. Parece fácil, mas não é.

– Eu sei – Matilda confirmou. – Tentei escrever algumas, mas nunca saem boas.

– Você tentou? – a srta. Mel espantou-se, mais atordoada ainda. – Pois, Matilda, eu gostaria muito de ouvir um desses poemas que você escreveu. Você se lembra de algum?

– Bem... – Matilda hesitou. – Na verdade, eu estava tentando fazer um sobre a senhora, enquanto estávamos sentados aqui.

– Sobre mim? Ora, então esse nós temos que ouvir, não é?

– Mas acho que não quero dizê-lo, srta. Mel.

– Diga, por favor – a srta. Mel pediu. – Prometo que não vou me importar.

– Acho que vai, srta. Mel, porque tive que usar seu primeiro nome para fazer rimar. É por isso que eu não quero dizer.

– Como você sabe meu primeiro nome?

– Ouvi uma outra professora falando com a senhora um pouco antes de entrarmos na classe. Ela a chamou de Jenni.

– Mas eu faço questão de ouvir essa quintilha, Matilda – a professora insistiu, com um de seus raros sorrisos nos lábios. – Fique de pé e recite.

Matilda levantou-se relutante e, muito devagar, meio nervosa, recitou sua quintilha:

Esta pergunta de todos eu ouvi:
"Será que há por aqui,
Respondam, meus colegas,
Moça mais linda que Jenni?"
Pois eu confesso que nunca vi.

O rosto pálido e simpático da srta. Mel ficou totalmente vermelho. Então ela deu mais um sorriso, um sorriso enorme, de puro prazer.

– Obrigada, Matilda – ela agradeceu, ainda sorrindo. – Embora ele não diga a verdade, seu poema é muito bom. Vou fazer o possível para guardá-lo na memória.

Da terceira fila, veio a voz de Lavanda.

– É bom mesmo. Gostei.

– E ele fala a verdade, sim – um menino chamado Rupert garantiu.

– Lógico que é verdade – Nigel confirmou.

Toda a classe já estava começando a gostar da srta. Mel, embora ela mal tivesse notado outra criança além de Matilda.

– Quem ensinou você a ler, Matilda?

– Aprendi sozinha, srta. Mel.

– E já leu algum livro sozinha, algum livro infantil?

– Li todos os que a biblioteca pública tem, srta. Mel.

– E gostou?

– Gostei muito de alguns, mas achei outros muito chatos.

– Diga um do qual você tenha gostado.

– *O leão, a feiticeira e o guarda-roupa* – Matilda disse. – Acho C. S. Lewis um ótimo escritor. Mas ele tem um defeito, nos livros dele não tem nenhum trecho engraçado.

– Tem razão – a srta. Mel concordou.

– Também não tem muita coisa engraçada em Tolkien.

– Você acha que todos os livros infantis deveriam ter coisas engraçadas?

– Acho – Matilda respondeu. – Criança não é séria como adulto, criança adora rir.

A srta. Mel estava assombrada com as reflexões daquela menina tão pequena.

– E o que você vai fazer agora que leu todos os livros infantis da biblioteca?

– Estou lendo outros livros – Matilda contou. – Eu pego emprestado na biblioteca. A sra. Felps é muito boa comigo. Ela me ajuda a escolher.

A srta. Mel inclinou-se sobre a mesa e fitou maravilhada aquela criança incomum. Ela esquecera completamente o restante da classe.

– Que outros livros? – murmurou.

– Gosto muito de Charles Dickens. Ele me faz rir muito. Principalmente com o sr. Pickwick.

Nesse momento o sinal tocou, a aula estava encerrada.

Sra. Taurino

No intervalo, a srta. Mel saiu da classe e foi direto para a sala da diretora. Estava extremamente ansiosa. Acabara de encontrar uma menina que tinha, ou pelo menos parecia ter, uma inteligência excepcional. Ainda não tivera tempo de descobrir exatamente qual o grau de sua inteligência, mas vira o suficiente para saber que era preciso tomar alguma atitude o mais depressa possível. Seria ridículo deixar uma criança como aquela perdendo tempo no nível mais elementar da escola.

Geralmente a srta. Mel tinha pavor da diretora e procurava manter-se longe dela, mas, naquele momento, estava disposta a enfrentar qualquer coisa. Bateu na porta da sala tão temida.

– Entre! – retumbou a voz grave e perigosa da sra. Taurino. A srta. Mel entrou.

Hoje em dia, os diretores de escola costumam ser escolhidos por suas boas qualidades. Compreendem as crianças e fazem tudo pelo bem delas. São humanos, justos e profundamente interessados por questões educacionais. A sra. Taurino não tinha nenhuma dessas qualidades, e a razão pela qual havia chegado ao cargo de diretora de uma escola primária era um mistério.

Ela era, acima de tudo, uma mulher impressionante. Tinha sido uma atleta famosa no passado, e seus músculos ainda se mantinham nitidamente evidentes. Eles marcavam o pescoço forte, os ombros largos, os braços grossos, os pulsos rijos e as pernas vigorosas. Tinha-se a impressão de que ela era capaz de entortar barras de ferro e rasgar listas telefônicas. Seu rosto não era bonito nem agradável. Tinha um queixo obstinado, uma boca cruel e pequenos olhos arrogantes. Quanto às roupas... eram, no mínimo, extremamente esquisitas. Sempre usava um casacão marrom abotoado na frente, com um cinto largo de couro apertando a cintura. O cinto tinha uma enorme fivela prateada. As coxas maciças que emergiam do casaco eram protegidas por calças verde-garrafa de sarja áspera. Desciam até logo abaixo dos joelhos, onde eram presas com um elástico. Completavam o traje meias verdes de bainha virada, que realçavam os músculos rijos da barriga da perna. Nos pés, usava sapatos de couro grosseiros, sem salto. Em resumo, ela parecia mais uma caçadora sanguinária do que diretora de uma escola de crianças.

Quando a srta. Mel entrou na sala, a sra. Taurino estava em pé atrás de sua mesa enorme, com um ar de impaciência no rosto.

– E então, Mel? O que deseja? Está muito corada e agitada esta manhã. O que aconteceu? Aquelas pestes andaram jogando bolas de papel em você?

– Não, sra. Diretora. Não foi nada disso.

– Então o que foi? Diga de uma vez. Sou uma mulher ocupada. – E, enquanto falava, ela encheu um copo com água de uma jarra que estava sempre sobre sua mesa.

– Há uma menina em minha classe chamada Matilda Losna... – a srta. Mel começou.

– É a filha do dono da Losna Automóveis – a sra. Taurino interrompeu, ríspida. Ela quase nunca falava num tom de voz normal. Sempre esbravejava ou gritava. – O sr. Losna é uma excelente pessoa. Estive lá ontem mesmo. Ele me vendeu um carro. Está quase novo, só rodou dez mil quilômetros. A proprietária anterior era uma senhora de idade que dirigia no máximo uma vez por ano. Um ótimo negócio. Sim, gostei do sr. Losna. Um verdadeiro pilar da nossa sociedade. Ele me contou que a filha é impossível. Disse para ficarmos de olho nela. Avisou que, se alguma coisa ruim acontecer na escola, certamente será obra de sua filha. Ainda não encontrei a pestinha, mas ela vai saber o que acho a respeito desse tipo de comportamento. O pai disse que ela é uma verdadeira praga.

– Ah, não, sra. Diretora, não pode ser verdade – protestou a srta. Mel.

– Pois é verdade, srta. Mel, é isso mesmo! Agora que juntei os fatos, aposto que foi ela que colocou aquela bomba de gás malcheiroso embaixo da minha mesa hoje de manhã, logo cedo. A sala fedia como um gambá! Com certeza foi ela! Vou fazê-la pagar por isso, se vou! Como ela é? Aposto que é uma coisinha feia e dissimulada. Mel, durante minha longa carreira de professora, aprendi que uma menina mal-educada é muito mais perigosa do que um menino travesso. Elas são muito mais difíceis de dominar. Você vai bater nela e a maldita escapa. Essas menininhas são um terror. Ainda bem que nunca fui assim.

– Mas algum dia a senhora já foi criança, sra. Diretora. Óbvio que foi.

– Mas não por muito tempo – a sra. Taurino retrucou. – Eu logo me tornei mulher.

Ela é completamente desequilibrada, pensou a srta. Mel, decidida a não esmorecer diante da diretora. Pelo menos daquela vez não iria deixar que aquela mulher a intimidasse.

– Sra. Diretora, devo dizer que a senhora está completamente enganada. Não foi Matilda que colocou a bomba de mau cheiro embaixo de sua mesa.

– Eu nunca me engano, Mel!

– Mas, sra. Diretora, a menina chegou à escola de manhã e foi direto para a classe...

– Não discuta comigo! Essa endiabrada, a tal Matilda, ou seja lá como for o nome dela, deixou minha sala com um cheiro insuportável! Não há dúvida de que foi ela! Obrigada por ter me sugerido isso.

– Mas eu não sugeri isso, sra. Diretora.

– Lógico que sugeriu! Mas o que você quer comigo, Mel? Porque está me fazendo perder tempo?

– Vim conversar sobre Matilda, sra. Diretora. Tenho coisas extraordinárias para falar sobre essa criança. Posso lhe contar o que acabou de acontecer na classe?

– Imagino que ela pôs fogo na sua saia e chamuscou a sua calcinha – a sra. Taurino zombou.

– Nada disso! – a srta. Mel protestou. – Ela é um gênio.

Diante daquela palavra, a sra. Taurino ficou com o rosto vermelho e seu corpo inchou como se ela fosse um sapo.

– Um *gênio*! – ela gritou. – Que absurdo é esse? Você deve ter perdido o juízo! O próprio pai garantiu que essa menina é um caso perdido!

– O pai dela está enganado, sra. Diretora.

– Não seja idiota, Mel! Você esteve com a fera por apenas meia hora e o pai dela a conhece desde que nasceu!

Mas a srta. Mel estava decidida a dizer o que pensava, e, assim, começou a descrever as contas surpreendentes que Matilda tinha feito.

– Quer dizer que ela aprendeu algumas tabuadas de cor, não é? – a sra. Taurino esbravejou. – Minha cara, isso não a torna um gênio! Quer dizer apenas que ela é um papagaio!

– Mas, sra. Diretora, ela sabe *ler*!

– Eu também sei – a sra. Taurino revidou.

– Na minha opinião, Matilda deve ser removida imediatamente da minha classe. Ela deve ir para o último ano, junto com as crianças de onze anos.

– Ah! Então você quer livrar-se dela, não é? Quer dizer que não consegue lidar com ela e quer jogá-la nas mãos

da pobre srta. Plinsol, do último ano, onde ela irá causar mais confusão ainda?

– Não, não! – a srta. Mel protestou. – Não é esse o motivo de minha sugestão!

– Ah, óbvio que é! – a sra. Taurino gritou. – Estou entendendo a sua jogada, mocinha! E minha resposta é não! Matilda fica onde está e cabe a você cuidar para que ela se comporte bem!

– Mas, sra. Diretora, por favor...

– Nem mais uma palavra! – a sra. Taurino interrompeu. – Além do mais, é norma desta escola que todas as crianças permaneçam nos grupos de sua idade, qualquer que seja sua capacidade. Lógico que não vou pôr uma encrenqueira de cinco anos entre meninas e meninos mais velhos, no último ano! Onde já se viu uma coisa dessas!

A srta. Mel levantou-se, totalmente impotente diante daquele gigante de pescoço vermelho. Gostaria de dizer muitas outras coisas, mas sabia que seria inútil.

– Muito bem. A senhora é quem sabe.

– Tem razão! Eu é que sei! E não se esqueça, mocinha, de que estamos lidando com uma pequena víbora que colocou uma bomba de gás malcheiroso embaixo da minha mesa...

– Ela *não* fez isso, sra. Diretora!

– Lógico que fez! – a sra. Taurino gritou. – E vou lhe dizer uma coisa. Eu adoraria ter permissão para usar vara de marmelo e cinta, como nos bons tempos! Eu ia tirar a pele do traseiro dessa Matilda para ela ficar um mês sem poder sentar!

A srta. Mel saiu da sala sentindo-se deprimida, mas não derrotada. *Vou fazer alguma coisa por essa criança*, disse a si mesma. *Não sei o quê, mas ainda vou encontrar uma maneira de ajudá-la.*

Os pais

Quando a srta. Mel saiu da sala da diretora, a maioria das crianças estava brincando no pátio. A primeira coisa que ela fez foi procurar os vários professores que davam aula no último ano e pedir emprestados alguns livros de álgebra, geometria, francês, literatura etc. Depois, encontrou Matilda e a chamou para a classe.

– Não tem cabimento você ficar sentada na classe sem fazer nada enquanto eu ensino os outros a recitar a tabuada do dois e a soletrar gato, rato e pato. Então, em cada aula vou lhe dar um destes livros para estudar. No final da aula, você pode vir me perguntar suas dúvidas e eu tentarei ajudá-la. O que acha disso?

– Obrigada, srta. Mel – Matilda disse. – Acho ótimo.

– Tenho certeza de que conseguiremos transferi-la para um nível mais avançado daqui a algum tempo, mas no momento a diretora quer que você fique onde está.

– Tudo bem, srta. Mel – Matilda respondeu. – Muito obrigada por conseguir esses livros para mim.

Que criança adorável, pensou a srta. Mel. Não importava o que o pai havia dito. Matilda lhe parecia uma menina tranquila e educada. E nem um pouco convencida, apesar de ser tão inteligente. Na verdade, ela nem parecia ter consciência de toda a sua capacidade.

Assim, quando a aula recomeçou, Matilda foi para a carteira e começou a estudar um manual de geometria que a srta. Mel lhe tinha dado. A professora ficou de olho nela todo o tempo e reparou que ela logo ficou profundamente absorvida pelo livro. Matilda não levantou os olhos até o final da aula.

Enquanto isso, a srta. Mel tomou outra decisão. Resolveu ir pessoalmente à casa de Matilda e ter uma conversa reservada com seus pais, o mais depressa possível. Não podia admitir que as coisas continuassem daquele jeito. Era ridículo. Não podia acreditar que os pais não tivessem reparado no talento notável da filha. Afinal, o sr. Losna era um revendedor de automóveis bem-sucedido e, portanto, devia ser uma pessoa razoavelmente inteligente. Além do mais, pais nunca *subestimam* a capacidade dos próprios filhos. O que acontece com frequência é exatamente o contrário. Às vezes, é impossível para um professor convencer os pais de que o filho adorado de que eles tanto se orgulham é um completo ignorante. Por isso, a srta. Mel estava confiante em que não teria dificuldade para mostrar ao sr. e à sra. Losna que Matilda de fato era muito especial. O problema seria evitar que eles se entusiasmassem demais.

As esperanças da srta. Mel começaram a aumentar. Imaginou que talvez conseguisse permissão dos pais de Matilda para lhe dar aulas particulares após o horário da escola. A perspectiva de acompanhar os estudos de uma criança brilhante como aquela atraía sua vocação de professora. E, de repente, ela decidiu que iria falar com o sr. e a sra. Losna naquela noite mesmo. Chegaria um pouco tarde, entre nove e dez horas, para ter certeza de que Matilda já estaria na cama.

E foi exatamente isso que ela fez. Conseguiu o endereço nos registros da escola e caminhou até a casa dos Losna um pouco depois das nove horas da noite. Eles moravam numa rua agradável onde as casas eram separadas umas das outras por pequenos jardins. Era uma casa moderna, de tijolos aparentes, que não devia ter custado barato, e no portão estava escrito meu céu. *Seu mel*, pensou a srta. Mel, que adorava jogos de palavras. Chegou à porta e tocou a campainha. Enquanto esperava, ouvia a televisão aos berros lá dentro.

A porta se abriu, deixando aparecer um homem franzino, agitado, com um bigode fino e um casaco esportivo de listras laranja e vermelhas.

– Se estiver vendendo bilhetes de rifa, não quero nenhum – ele declarou, após examinar brevemente a srta. Mel.

– Não é isso – a srta. Mel explicou. – Desculpe por estar vindo assim à sua casa. Sou professora de Matilda e gostaria de ter uma conversa importante com o senhor e sua esposa.

– Ela já andou criando problemas, não é? – o sr. Losna resmungou, bloqueando a entrada. – Só que, agora, ela está sob sua responsabilidade. A senhora que dê um jeito nela.

– Mas ela não criou problema nenhum – a srta. Mel explicou. – Vim trazer boas notícias sobre ela. Notícias surpreendentes, sr. Losna. Será que eu poderia entrar um pouco e conversar sobre Matilda?

– Estamos no meio de um de nossos programas favoritos – o sr. Losna reclamou. – Vai ser um transtorno. Por que não volta outra hora?

A srta. Mel começava a perder a paciência.

– Sr. Losna, se acha que um programa de televisão é mais importante do que o futuro de sua filha, então não deveria ser pai! Por que não desliga esse maldito aparelho e escuta o que tenho a dizer?

O sr. Losna ficou surpreso. Não estava habituado a que lhe falassem daquela maneira. Lançou um olhar cauteloso para a mulher frágil e esguia que estava parada, resoluta, diante de sua porta.

– Está bem – ele concordou bruscamente. – Entre e vamos resolver isso logo. Mas a sra. Losna não vai lhe agradecer por essa interrupção – ele avisou, conduzindo-a até a sala de estar, onde uma mulher corpulenta, de cabelos loiros platinados, tinha os olhos grudados na tela da televisão.

– Quem é? – a mulher perguntou, sem se virar.

– Uma professora da escola – o sr. Losna respondeu. – Ela disse que veio conversar conosco sobre Matilda.

Ele atravessou a sala até a televisão e baixou o som, mas deixou a imagem na tela.

– Não faça isso, Harry! – a sra. Losna protestou. – Willard vai pedir Angélica em casamento!

– Pode ficar vendo enquanto conversamos. Esta é a professora de Matilda. Ela disse que tem uma notícia para nos dar.

– Meu nome é Jennifer Mel – ela se apresentou. – Como vai, sra. Losna?

A sra. Losna a encarou com ar de poucos amigos.

– Pois bem, qual é o problema? – ela perguntou.

Ninguém convidou a srta. Mel para sentar, mas mesmo assim ela escolheu uma cadeira e sentou.

– Hoje foi o primeiro dia de aula de sua filha – ela começou.

– Nós sabemos – a sra. Losna disse, irritada por estar perdendo o programa. – Foi isso que veio nos contar? A srta. Mel encarou-a com firmeza e deixou que o silêncio se prolongasse, até a sra. Losna se sentir constrangida.

– Querem que eu explique por que vim até aqui?

– Fale de uma vez, então – a sra. Losna disse.

– Certamente vocês sabem que uma criança, quando começa a frequentar a escola, normalmente ainda não sabe ler, nem soletrar nem lidar com números. Crianças de cinco anos não costumam saber essas coisas. Mas Matilda sabe. E, segundo o que ela me disse...

– Eu não acreditaria nela – a sra. Losna interrompeu, ainda impaciente por não conseguir ouvir o som da televisão.

– Então ela estava mentindo quando afirmou que ninguém a ensinou a multiplicar ou a ler? Algum de vocês a ensinou?

– Ensinou o quê? – a sra. Losna perguntou.

– A ler. A ler livros – a srta. Mel explicou. – Talvez vocês *de fato* a tenham ensinado. Talvez ela *estivesse* mesmo mentindo. Talvez vocês tenham estantes cheias de livros por toda a casa. Como é que eu podia saber? Talvez vocês dois sejam grandes leitores.

– Óbvio que nós lemos – o sr. Losna garantiu. – Não seja ridícula. Eu leio a *Revista dos carros* todas as semanas, de ponta a ponta.

– Essa criança já leu um número impressionante de livros – a srta. Mel disse. – Eu só estava tentando descobrir se ela veio de uma família que gosta de boa literatura.

– Não somos muito a favor dessa história de ler livros – o sr. Losna declarou. – Não se pode ganhar a vida sentado numa poltrona lendo livros. Aqui em casa não tem disso.

– Entendo. Bem, só vim aqui para lhes dizer que Matilda é muito inteligente. Mas imagino que já saibam disso.

– Óbvio que sabemos que ela lê – a mãe respondeu. – Ela passa a vida dentro do quarto com o nariz enterrado naqueles livros idiotas.

– Mas vocês não ficam intrigados por uma menina de cinco anos estar lendo romances adultos e longos de Dickens e Hemingway? Isso não os entusiasma?

– Isso não me impressiona muito – a mãe disse. – Não sou a favor de meninas metidas a intelectuais. Uma menina deve pensar em se embelezar para mais tarde arrumar um bom marido. A aparência é mais importante do que a instrução, srta. Gel...

– Meu nome é Mel – ela corrigiu.

– Olhe para mim e depois olhe-se no espelho – a sra. Losna disse. – A senhora escolheu a instrução. Eu escolhi a aparência.

A srta. Mel olhou para a mulher gorda e sem graça, de rosto redondo e presunçoso, sentada do outro lado da sala.

– O que está dizendo?

– Estou dizendo que a senhora escolheu a instrução e eu escolhi a aparência. E quem acabou melhor? Eu, é óbvio. Estou morando numa casa confortável, ao lado de um homem de negócios bem-sucedido, e a senhora está se matando para ensinar o abc a um bando de crianças infernais.

– Isso mesmo, meu bem – o sr. Losna disse, lançando à esposa um olhar tão afetado e meloso que chegava a dar enjoo.

A srta. Mel pensou que, se queria conseguir alguma coisa com aquelas pessoas, não podia perder a calma.

– Ainda não lhes contei tudo. Matilda, pelo que pude perceber no pouco tempo que estive com ela, também é um gênio em matemática. Ela consegue multiplicar números grandes de cabeça, num piscar de olhos.

– Qual é a vantagem disso quando se pode comprar uma calculadora? – o sr. Losna indagou.

– Nenhuma menina consegue agarrar um homem por ser inteligente – interveio a sra. Losna. – Veja aquela atriz, por exemplo – acrescentou, apontando para a tela silenciosa da televisão, onde uma moça de seios grandes estava sendo abraçada, ao luar, por um ator de feições másculas. – Não está pensando que ela conseguiu isso do rapaz fazendo multiplicações de cabeça para ele, não é? É muito pouco provável. Agora, ele vai se casar com ela, pode apostar, e ela vai morar numa mansão com um mordomo e um monte de empregados.

A srta. Mel não podia acreditar no que estava escutando. Já tinha ouvido falar que havia pais como aqueles por toda parte e que seus filhos acabavam se tornando delinquentes e desajustados, mas era um choque encontrar um casal assim em carne e osso.

– O problema de Matilda é que ela está tão adiantada em relação aos outros alunos que talvez seja o caso de se pensar em algum tipo de acompanhamento individual fora da classe – a srta. Mel prosseguiu, tentando uma vez mais. – Acredito seriamente que, com dois ou três anos de preparação adequada, ela poderia atingir o nível necessário para ingressar numa universidade.

– Universidade? – o sr. Losna gritou, levantando da cadeira. – E quem é que vai para a universidade? A única coisa que se aprende lá são hábitos perniciosos!

– Isso não é verdade – contestou a srta. Mel. – Se o senhor tivesse um ataque cardíaco neste instante e tivesse que chamar um médico, estaria chamando alguém que se formou em uma universidade. Se o senhor fosse processado por ter vendido algum carro usado em más condições, teria que contratar um advogado, que também se formou numa universidade. Não despreze pessoas inteligentes, sr. Losna. Mas estou vendo que não vamos chegar a um acordo. Sinto muito por ter vindo incomodá-los. – Então a srta. Mel levantou-se e saiu da sala.

O sr. Losna acompanhou-a até a porta.

– Obrigado por ter vindo, srta. Pel, ou é srta. Fel?

– Nenhum dos dois, mas não importa. – A professora virou as costas e se foi.

Arremesso de martelo

O curioso é que, se alguém encontrasse Matilda por acaso e conversasse com ela, imaginaria que ela era uma criança perfeitamente normal de cinco anos e meio. Não havia nenhum sinal externo de sua inteligência, e ela não era exibida. Dava a impressão de ser uma menininha muito equilibrada e tranquila. A menos que, por alguma razão, a pessoa tivesse uma discussão com ela sobre literatura ou matemática, nunca ficaria sabendo das dimensões de suas capacidades mentais.

Assim, era fácil para Matilda fazer amizade com outras crianças. Todos da classe gostavam dela. Sabiam, é lógico, que ela era inteligente, porque tinham ouvido a conversa dela com a srta. Mel no primeiro dia de aula. E sabiam também que ela tinha permissão para ficar sentada em silêncio com um livro durante as aulas e não prestar atenção no que a professora dizia. Mas crianças dessa idade não ficam procurando motivos muito complicados. Estão envolvidas demais com suas pequenas dificuldades para ficarem se preocupando muito com o que os outros fazem e por quê.

Entre os novos amigos de Matilda havia aquela menina chamada Lavanda. Desde o primeiro dia de aula as duas começaram a andar juntas durante o recreio da manhã e na hora do almoço. Lavanda era miudinha, bem pequena para sua idade. Tinha olhos castanhos e cabelos escuros, com uma franja cobrindo a testa. Matilda gostava dela porque a achava corajosa e audaciosa. E Lavanda gostava de Matilda exatamente pelo mesmo motivo.

Antes do final da primeira semana de aulas, histórias terríveis sobre a diretora, a sra. Taurino, começaram a chegar aos ouvidos dos alunos novos. Matilda e Lavanda estavam num canto do pátio durante o recreio no terceiro dia de aula quando veio ao encontro delas uma menina forte, de uns dez anos de idade, que tinha uma espinha na ponta do nariz e se chamava Hortênsia.

– Vocês são novas aqui, não é? – Hortênsia perguntou, fitando-as do alto de seu tamanhão. Estava com um pacote enorme de batatinhas na mão e as comia gulosamente. – Bem-vindas ao reformatório – ela disse, e as migalhas das batatas espirraram de sua boca como se fossem flocos de neve.

As duas meninas, abordadas repentinamente por aquele gigante, mantiveram-se em silêncio, atentas.

– Já encontraram a Taurino? – Hortênsia perguntou.

– Nós a vimos na hora das orações – Lavanda disse –, mas ainda não falamos com ela.

– Pois há uma séria ameaça pairando sobre suas cabeças – Hortênsia avisou. – Ela odeia crianças pequenas. Isso quer dizer que detesta a classe do primeiro ano. Acha que crianças de cinco anos são larvas que ainda não saíram do ovo. – Hortênsia engoliu mais um punhado de batatas, esguichando mais migalhas quando voltou a falar. – Se vocês sobreviverem ao primeiro ano, podem até conseguir aguentar o resto do tempo que vão passar aqui. Mas muitos não sobrevivem e saem de maca, chorando. Já vi isso muitas vezes.

Hortênsia fez uma pausa para observar o efeito de seus comentários sobre aquelas duas pirralhinhas. Mas elas pareciam tranquilas. Então, a menina mais velha resolveu presenteá-las com mais informações:

– Imagino que vocês saibam que a Taurino tem um armário trancado em sua sala chamado O Sufocador. Já ouviram falar do Sufocador?

Matilda e Lavanda sacudiram a cabeça negativamente e continuaram fitando a gigante. Como eram muito pequenas, tinham a tendência de desconfiar de qualquer criatura que fosse maior do que elas, especialmente meninas mais velhas.

– O Sufocador é um armário muito alto e muito estreito. O piso só tem vinte por trinta centímetros, então não dá nem para sentar nem para agachar dentro dele. A gente tem que ficar de pé. Três lados dele são feitos de cimento com cacos de vidro espetados. Então a gente não pode encostar neles. Quando a Taurino tranca a gente no Sufocador, só dá para ficar de pé, e sem se mexer. É horrível.

– Dá para encostar na porta? – Matilda perguntou.

– Que nada, boba – Hortênsia disse. – A porta tem milhares de pregos pontudos, de cima até embaixo. Eles foram martelados de fora para dentro, provavelmente pela própria Taurino.

– Você já ficou presa lá? – Lavanda perguntou.

– No meu primeiro ano, fiquei seis vezes. Duas vezes eu fiquei trancada o dia inteiro; nas outras, fiquei duas horas de cada vez. Mas duas horas já é terrível. É uma escuridão total e a gente tem que ficar de pé e imóvel, porque se der uma balançadinha se espeta no vidro das paredes ou nos pregos da porta.

– Por que ela colocou você lá dentro? – Matilda quis saber. – O que você tinha feito?

– A primeira vez, eu despejei meio vidro de mel na cadeira onde a Taurino ia sentar durante as orações. Foi fantástico. Quando ela sentou, fez um barulho como quando um hipopótamo enfia a pata na lama das margens do rio Limpopo. Mas vocês são muito pequenas e burrinhas para terem lido Rudyard Kipling, não é?

– Eu li – Matilda disse.

– Mentirosa. Você nem sabe ler ainda! Mas não importa. Então, quando a Taurino sentou no mel, o barulho foi fantástico. E, quando ela levantou de um pulo, a cadeira ficou meio grudada no traseiro daquela calça verde horrorosa que ela usa e subiu com ela por alguns segundos, até o mel ir escorrendo devagar. Aí, ela pôs as mãos no traseiro e ficou com os dedos todos lambuzados. Queria que vocês ouvissem os gritos dela!

– Mas como ela soube que foi você? – Lavanda perguntou.

– Um idiota chamado Ollie Apito me dedurou. Mas eu lhe dei uma surra que ele nunca mais esqueceu.

– E a Taurino deixou você no Sufocador durante um dia inteiro? – Matilda indagou, engolindo em seco.

– Inteirinho. Quando ela me fez sair, estava completamente tonta. Nem conseguia falar direito.

– O que você fez das outras vezes para ficar no Sufocador? – Lavanda quis saber.

– Ah, não me lembro de tudo, agora – Hortênsia disse. Ela falava com a expressão de um velho guerreiro que já estivera em tantas batalhas que a coragem já se tornara uma coisa banal.

– Faz tanto tempo – ela acrescentou, enfiando mais batatas na boca. – Ah, sim, lembrei mais uma. Escolhi um horário em que sabia que a Taurino estava dando aula na sexta série. Levantei a mão e pedi para ir ao banheiro. Mas, em vez disso, fui de mansinho até a sala da Taurino. Dei uma procurada e achei a gaveta onde ela guardava todos os seus calções de ginástica.

– Continue – Matilda pediu, fascinada. – O que você fez depois?

– Eu tinha pedido pelo correio um pó de mico muito forte. Custava cinquenta centavos o pacote e chamava-se Arranca-Pele. O rótulo dizia que era feito do pó de dentes de cobras venenosas e que causava feridas do tamanho de nozes na pele. Então eu polvilhei isso dentro de todos os calções que achei na gaveta. Depois, voltei a dobrar tudo direitinho. – Hortênsia fez uma pausa para mastigar mais batatas.

– Funcionou? – Lavanda a apressou.

– Uns dias depois, durante as orações, a Taurino começou a se coçar furiosamente. *A-há,* eu pensei, *começou.* Ela já tinha se vestido para a ginástica. Foi maravilhoso ficar

sentada ali, vendo tudo aquilo acontecer, e sabendo que eu era a única pessoa na escola que entendia exatamente o que estava acontecendo dentro do calção da Taurino. Eu me sentia segura. Sabia que não podia ser pega. E a coceira foi piorando. Ela não conseguia parar. A Taurino devia estar pensando que estava com um ninho de vespas dentro do calção. De repente, no meio do Pai-nosso, ela deu um pulo e saiu correndo da sala, com as mãos no traseiro.

Matilda e Lavanda estavam boquiabertas. Estava evidente que se tratava de uma especialista! Aquela menina tinha elevado a arte das travessuras ao auge da perfeição. Mais do que isso, estava disposta a arriscar a vida para atingir a sua meta. Fitaram maravilhadas aquela deusa e, de repente, mesmo a espinha no nariz já não parecia um defeito, mas um símbolo de coragem.

– E como ela pegou você dessa vez? – Lavanda perguntou, cheia de admiração.

– Ela não pegou. Mas eu ganhei um dia no Sufocador assim mesmo.

– Por quê? – ambas indagaram.

– A Taurino tem o péssimo hábito de adivinhar. Quando não sabe quem é o culpado, ela escolhe alguém de quem desconfia, e o pior é que quase sempre ela acerta. Na época eu era a principal suspeita, por causa da história do mel. Apesar de ela não ter nenhuma prova, não adiantava eu dizer nada. Eu gritava: "Como é que eu poderia ter feito isso, sra. Taurino? Eu nem sabia que a senhora guardava calções de ginástica na escola! Eu nem sei o que é pó de mico! Nunca ouvi falar nisso!" Mas a mentira não me ajudou em nada, mesmo com a minha encenação perfeita. A Taurino simplesmente me agarrou por uma orelha, me arrastou até o Sufocador, me jogou lá dentro e trancou a porta. Foi a segunda vez que fiquei lá um dia inteiro. Uma verdadeira tortura. Saí de lá toda espetada e cortada.

– É uma verdadeira guerra – Matilda espantou-se.

– Exatamente, é uma verdadeira guerra – Hortênsia concordou. – E as baixas são imensas. *Nós* somos os heróis, os bravos cavaleiros lutando por nossas vidas praticamente sem armas, e a Taurino é o Príncipe das Trevas, a Serpente do Mal, o Dragão de Fogo com todas as armas à sua disposição. É uma vida difícil. Todos nós tentamos nos ajudar mutuamente.

– Pode contar com a gente – Lavanda garantiu, esticando o mais possível seu metro de altura.

– Posso nada, vocês são duas criancinhas. Mas nunca se sabe. Qualquer dia desses talvez sobre alguma missão secreta para vocês.

– Conte para a gente mais coisas que ela faz – Matilda pediu. – Por favor.

– Não posso amedrontar vocês já na primeira semana – Hortênsia disse.

– Nós não vamos ficar com medo – Lavanda garantiu. – Podemos ser pequenas, mas somos muito valentes.

– Então ouçam essa – Hortênsia prosseguiu. – Ontem mesmo a Taurino pegou um menino chamado Júlio Pisco chupando bala na aula de religião; ela simplesmente o agarrou pelo braço e o jogou pela janela. Nossa classe é no segundo andar, e nós vimos o Júlio voar sobre o jardim e aterrissar no meio das alfaces. Depois, a Taurino virou-se

para nós e disse: "De agora em diante, quem eu pegar comendo na classe vai sair direto pela janela."

– O Júlio Pisco quebrou algum osso? – Lavanda perguntou.

– Alguns. Não se esqueçam de que a Taurino já participou da equipe inglesa nas Olimpíadas, fazendo arremesso de martelo. Ela tem muito orgulho de seu braço direito.

– O que é arremesso de martelo? – Lavanda quis saber.

– O martelo é uma bola enorme, como bola de canhão, presa na ponta de uma corrente. O atleta gira a corrente em torno da cabeça, cada vez mais depressa, e depois solta. É preciso ser muito forte para fazer isso. Para manter seu braço em forma, a Taurino joga qualquer coisa que tiver à mão, principalmente crianças.

– Meu Deus – Lavanda murmurou.

– Certa vez eu a ouvi dizer que um menino grande tem mais ou menos o peso de um martelo olímpico e, por isso, é muito útil para usar nos treinamentos.

Nesse momento, aconteceu uma coisa estranha. O pátio, onde até então soavam os gritos e as risadas das crianças brincando, de repente ficou silencioso como um túmulo.

– Vejam – Hortênsia sussurrou.

Matilda e Lavanda olharam em volta e viram a figura gigantesca da sra. Taurino avançando pelo meio da multidão de meninos e meninas, com passos largos e ameaçadores. As crianças afastavam-se depressa para lhe dar passagem; pareciam as águas do mar Vermelho se abrindo para Moisés atravessar. Ela era uma visão impressionante, com seu casacão apertado pelo cinto e as calças verdes com elásticos abaixo dos joelhos. Os músculos de suas pernas destacavam-se sob as meias.

– Amanda Thripp! – ela gritou. – Você, Amanda Thripp, venha aqui!

– Fiquem de olho – Hortênsia murmurou.

– O que vai acontecer? – Lavanda perguntou, baixinho.

– Aquela idiota da Amanda deixou os cabelos crescerem durante as férias e a mãe lhe fez duas tranças. Que burrice!

– Por que burrice? – Matilda quis saber.

– Se há uma coisa que a Taurino não suporta são tranças e marias-chiquinhas – Hortênsia explicou.

Matilda e Lavanda viram o gigante de calças verdes avançar sobre a menina, que tinha uns dez anos e duas tranças douradas descendo até os ombros. Cada trança era amarrada por um laço azul de cetim, e o efeito era muito bonito. A menina de tranças, Amanda Thripp, ficou imóvel, de olhos fixos no gigante que se aproximava, como se estivesse encurralada numa pequena clareira por um touro bravo pronto para atacá-la. A menina estava pregada no chão, aterrorizada, de olhos arregalados, tremendo, com a certeza de que o Dia do Juízo Final havia chegado para ela.

A sra. Taurino alcançou sua vítima e ficou parada como um monstro diante dela.

– Quero que você se livre dessas tranças horrorosas antes de voltar para a escola amanhã! – esbravejou. – Corte-as e jogue-as na lata de lixo, está ouvindo?

Amanda, paralisada de pavor, conseguiu gaguejar:

– Minha m-m-mmãe gosta delas. Ela f-f-faz as tranças todas as manhãs.

– Sua mãe é uma idiota! – a sra. Taurino gritou. Ela apontava um dedo do tamanho de um salame para a cabeça da menina. – Você parece um rato com um rabo saindo da cabeça!

– M-m-mamãe acha bonito, sra. T-T-Taurino – Amanda balbuciou, tremendo como gelatina.

– Pouco me importa o que sua mãe acha! – Taurino explodiu. Depois, inclinou-se para a frente, agarrou as tranças de Amanda com a mão direita, levantou a menina do chão e começou a girá-la por cima da cabeça, cada vez mais depressa. Amanda gritava sem parar.

– Vou lhe mostrar o que faço com suas trancinhas, sua cara de rato!

– Recordações das Olimpíadas – Hortênsia murmurou. – Ela está dando impulso, exatamente como faz com o martelo. Aposto dez contra um como ela vai jogar a menina.

E a sra. Taurino inclinou-se para trás com o peso da menina, girou-a com a habilidade de uma atleta, girou, girou, e logo Amanda Thripp rodopiava tão depressa que se transformou num mero borrão. De repente, com um grunhido, a sra. Taurino soltou as tranças e Amanda voou como um foguete, passou por cima da cerca de arame do pátio e subiu para o céu.

– Grande jogada! – alguém gritou, do outro lado do pátio. Atordoada com tudo aquilo, Matilda viu Amanda

Thripp descer, descrevendo uma longa e graciosa parábola, sobre o campo de esportes mais adiante. Ela aterrissou na grama e ricocheteou no chão três vezes, até parar por completo. Então, surpreendentemente, ela se sentou. Parecia um pouco tonta, mas não era para menos. Cerca de um minuto depois, Amanda levantou-se e voltou cambaleante para o pátio.

A diretora estava no meio do pátio, esfregando as mãos com ar satisfeito.

– Nada mal, considerando-se que não estou cumprindo um programa sério de treinamento. Nada mal mesmo – ela disse, e foi embora.

– Ela é desmiolada – Hortênsia disse.

– Mas os pais não reclamam? – Matilda perguntou.

– Os seus reclamariam? Os meus, não. Ela trata as mães e os pais do mesmo jeito que trata as crianças, e todos morrem de medo dela. Bem, qualquer hora a gente se fala de novo. Tchau. – E Hortênsia se foi.

Bruce Campônio e o bolo

– Como ela pode fazer isso e sair impune? – Lavanda comentou com Matilda. – Óbvio que as crianças chegam em casa e contam para os pais. Meu pai faria um escândalo se eu contasse que a diretora tinha me agarrado pelos cabelos e me jogado por cima da cerca do pátio.

– Que nada, ele não ia fazer nada disso, e vou lhe dizer por quê – Matilda respondeu. – Ele não ia acreditar em você.

– Lógico que ia!

– Não ia – Matilda insistiu. – E a razão é óbvia. Sua história ia parecer absurda demais para alguém acreditar. Esse é o grande segredo da Taurino.

– Qual?

– Se você quiser fazer alguma coisa e sair impune, nunca faça pela metade. Exorbite. Vá até o fim. Faça as coisas de um jeito absurdo, inacreditável. Nenhum pai acreditaria nessa história de trancinhas, nem em um milhão de anos. Os meus não acreditariam. Eles me chamariam de mentirosa.

– Se for assim, a mãe de Amanda não vai cortar as tranças dela – Lavanda refletiu.

– É, não vai mesmo – Matilda concordou. – A própria Amanda é que vai fazer isso. Espere só para ver.

– Você acha que ela é louca?

– Quem?

– A Taurino.

– Não acho que ela seja louca – Matilda respondeu. – Mas ela é muito perigosa. Estar nesta escola é como estar numa gaiola junto com uma cobra. A gente tem que ser ágil.

Já no dia seguinte elas tiveram mais um exemplo da periculosidade da diretora. Durante o almoço, os alunos foram avisados de que todos deveriam ir para o Salão de Conferências assim que terminassem a refeição.

Quando os quase duzentos e cinquenta meninos e meninas acomodaram-se no salão, a sra. Taurino subiu no estrado. Nenhum dos professores a acompanhou. Ela trazia um chicote de equitação na mão direita. Ficou parada no centro do estrado, com as pernas afastadas e o chicote na mão, fitando com uma expressão feroz o mar de rostos voltados para ela.

– O que vai acontecer? – Lavanda sussurrou.

– Não sei – Matilda respondeu, baixinho.

Toda a escola esperava pelo que viria em seguida.

– Bruce Campônio! – a sra. Taurino vociferou de repente. – Onde está Bruce Campônio?

Um braço levantou-se no meio das crianças.

– Suba aqui! – a sra. Taurino gritou. – Rápido!

Um menino de onze anos, alto e rechonchudo, levantou-se, foi gingando apressado até a frente do salão e subiu no estrado.

– Venha até aqui! – a sra. Taurino ordenou.

O menino obedeceu. Parecia nervoso, pois sabia muito bem que não estava ali para receber algum prêmio. Ele observava a diretora com um olhar atento e ia se afastando dela pouco a pouco, arrastando lentamente os pés, como se fosse um rato tentando escapar de um cachorro que o estivesse espreitando do outro lado da sala. Seu rosto redondo, que antes estava corado, foi empalidecendo de pavor. Suas meias estavam descidas até os tornozelos.

– Esse estúpido – a diretora esbravejou, apontando-o com o chicote como se fosse uma espada –, esse *verme*, esse *piolho*, essa *pústula* que vocês estão vendo nada mais é do que um criminoso nojento, um ser do submundo, um membro da Máfia!

– Quem, eu? – Bruce Campônio perguntou, sinceramente confuso.

– Um ladrão! – a Taurino gritou. – Um gatuno! Um pirata! Um salteador! Um facínora!

– Calma aí – o menino disse. – Quero dizer... o que é isso, sra. Diretora?

– Você nega, seu verme miserável? Você afirma que não tem culpa?

– Não sei do que a senhora está falando – o menino explicou, mais atordoado do que nunca.

– Pois vou lhe explicar do que estou falando, sua ferida purulenta! – a sra. Taurino explodiu. – Ontem de manhã, durante o recreio, você se esgueirou como uma serpente até a cozinha e roubou uma fatia do bolo de chocolate que estava na minha bandeja de chá! A cozinheira tinha preparado aquela bandeja especialmente para mim! Era meu lanche! E, quanto ao bolo, era exclusivamente meu! Não era bolo de criança! Por acaso passa pela cabeça de vocês que eu vou comer a mesma porcaria que lhes dou de lanche? Aquele bolo foi feito com manteiga de verdade! E ele, esse bandido, esse arrombador de cofres, esse salteador que está aí parado, com as meias caídas, roubou e comeu o meu bolo!

– Não fui eu – o menino defendeu-se, cada vez mais pálido.

– Não minta para mim, Campônio! – a sra gritou. Taurino. – A cozinheira viu você! E, mais do que isso, ela viu você comendo!

A diretora fez uma pausa para limpar uma gota de saliva que lhe saltara aos lábios.

Quando voltou a falar, sua voz de repente se tornou mais suave, mais baixa, mais amistosa, e ela se inclinou para o menino, sorrindo.

– Você gostou do meu bolo de chocolate especial, não é, Campônio? Estava delicioso, não é mesmo?

– Estava muito bom – o menino balbuciou. As palavras saíram de sua boca antes que ele pudesse contê-las.

– Tem razão – a sra. Taurino disse. – Muito bom! Portanto, acho que você deveria cumprimentar a cozinheira. Quando um cavalheiro faz uma refeição particularmente boa, Campônio, ele sempre envia seus cumprimentos ao chef. Você não sabia disso, não é, Campônio? Os habitantes do submundo do crime não costumam mesmo se destacar pelas boas maneiras.

O menino permaneceu em silêncio.

– Cozinheira! – a diretora gritou, virando-se para a porta. – Venha até aqui, cozinheira! O Campônio quer lhe dizer quanto é bom o bolo de chocolate que você faz!

A cozinheira, uma mulher alta e enrugada que parecia ter sido torrada havia muitos anos em um forno quente, entrou vestindo um avental branco encardido. Era evidente que sua presença havia sido combinada antes pela diretora.

– Agora, Campônio, diga à cozinheira o que acha do bolo de chocolate que ela faz – a sra. Taurino ordenou.

– Muito bom – o menino murmurou.

Percebia-se que o menino começava a se perguntar qual seria o resultado de tudo aquilo. Ele só tinha certeza de que a lei proibia a sra. Taurino de açoitá-lo com o chicote que ela ficava estalando na própria coxa. Isso já o aliviava, mas não muito, porque a sra. Taurino era totalmente imprevisível. Nunca se sabia o que ela iria fazer no instante seguinte.

– Viu, cozinheira? – a sra. Taurino disse. – O Campônio gosta do seu bolo. Ele adora seu bolo. Você tem mais um bolo para dar a ele?

– Para dizer a verdade, tenho sim – a cozinheira respondeu, parecendo ter decorado sua fala.

– Então vá pegá-lo. E traga uma faca para cortá-lo.

A cozinheira desapareceu. Quase imediatamente, voltou cambaleando sob o peso de um bolo enorme e redondo de chocolate sobre um prato de louça. O bolo tinha uns cinquenta centímetros de diâmetro e era coberto por um creme grosso de chocolate marrom-escuro.

– Coloque-o sobre a mesa – a diretora disse.

Havia uma mesinha e uma cadeira no centro do estrado. A cozinheira depositou o bolo cuidadosamente sobre a mesa.

– Agora sente-se, Campônio – a diretora ordenou. – Sente-se aqui.

O menino caminhou desconfiado até a mesa e sentou--se, fitando o bolo gigantesco.

– Aí está, Campônio – a sra. Taurino disse, mais uma vez com a voz suave, persuasiva e até gentil. – É todo seu. Inteirinho. Como você gostou tanto daquela fatia que comeu ontem, pedi à cozinheira que fizesse um outro bolo bem grande só para você.

– Obrigado – o menino murmurou, totalmente atordoado.

– Agradeça à cozinheira, não a mim – a sra. Taurino disse.

– Obrigado, cozinheira – o menino falou.

A cozinheira continuava ali de pé, enrugada como uma ameixa, com os lábios apertados, implacável, desaprovadora. Parecia estar com a boca cheia de sumo de limão.

– Então vá em frente – a sra. Taurino o incentivou. – Corte uma fatia bem grande e experimente!

– O quê? Agora? – o menino perguntou, desconfiado. Sabia que havia algum truque naquela história, mas não conseguiu imaginar o que poderia ser. – Não posso levar para casa?

– Não seria um gesto educado – a sra. Taurino disse, com um sorriso ardiloso. – Você deve mostrar sua gratidão à cozinheira aqui mesmo.

O menino não se moveu.

– Ande logo – a sra. Taurino o apressou. – Corte uma fatia e experimente. Não podemos perder o dia todo.

O menino pegou a faca e ia cortar o bolo, mas parou de repente. Olhou para o bolo. Depois olhou para a sra. Taurino e, em seguida, para a cozinheira espigada, com aquela boca de limão azedo. Todas as crianças no salão estavam observando, tensas, esperando. Tinham certeza de que alguma coisa iria acontecer. A diretora não era o tipo de pessoa que daria um bolo de chocolate inteiro para alguém por pura gentileza. Muitos já estavam imaginando que o doce devia estar cheio de pimenta, ou de óleo de rícino, ou de alguma outra substância de gosto ruim que faria o menino passar mal. Ou talvez até fosse arsênico, e o garoto estaria morto em dez segundos. Ou talvez fosse um bolo-bomba, que explodiria levando Bruce Campônio pelos ares. Ninguém na escola tinha dúvida de que a sra. Taurino fosse capaz dessas coisas.

– Não quero comer – o menino disse.

– Coma, seu pirralho! – a sra. Taurino exigiu. Você está insultando a cozinheira.

Desajeitado, o menino começou a cortar uma fatia fina do bolo imenso. Depois segurou a fatia, largou a faca e começou a comer o bolo cremoso bem devagar.

– Está bom, não está? – a sra. Taurino indagou.

– Muito bom – o menino respondeu, mastigando e engolindo pedacinho por pedacinho, até terminar a fatia.

– Coma outra – a diretora ofereceu.

– Não quero mais agora, obrigado – o menino murmurou.

– Eu disse para você comer outra – a sra. Taurino insistiu, agora com a voz bem mais ríspida. – Coma outra fatia! Faça o que estou mandando.

– Eu não quero outra fatia – o menino respondeu.

Então a diretora explodiu.

– Coma! – ela gritou, estalando o chicote em sua própria coxa. – Se estou mandando comer, é para comer! Você queria bolo! Você roubou bolo! Agora você tem bolo e vai comer tudo! Você não sai deste estrado e ninguém sai deste salão até você acabar de comer todo o bolo que está na sua frente! Fui clara, Campônio? Você entendeu bem?

O menino olhou para a sra. Taurino. Depois, fitou o bolo enorme.

– Coma! Coma! Coma! – a diretora gritava.

Lentamente, o menino cortou outra fatia e começou a mastigar.

Matilda estava fascinada.

– Acha que ele vai conseguir? – ela murmurou para Lavanda.

– Não – Lavanda respondeu. – É impossível. Vai passar mal antes de chegar à metade.

O menino foi em frente. Quando terminou a segunda fatia, olhou para a sra. Taurino, hesitante.

– Coma! – ela ordenou. – Ladrõezinhos gulosos que gostam de comer bolo devem ter bolo! Coma mais depressa, menino! Coma mais depressa! Não queremos ficar aqui o dia todo! E não pare como está fazendo agora! Se você parar outra vez antes de acabar o bolo todo, vai direto para o Sufocador e eu vou trancar a porta e jogar a chave no poço.

O menino cortou uma terceira fatia e começou a comer. Terminou-a mais depressa do que as duas anteriores e, em seguida, pegou a faca e cortou outra. Parecia estranho, mas era como se ele estivesse entrando no ritmo.

Matilda observava o menino com atenção e ainda não notava nenhum sinal de sofrimento. Pelo contrário, ele parecia estar cada vez mais confiante.

– Ele está indo muito bem – ela murmurou para Lavanda.

– Daqui a pouco vai começar a passar mal – Lavanda sussurrou. – Vai ser horrível.

Quando Bruce Campônio chegou à metade do bolo gigantesco, ele fez uma pausa de alguns segundos e respirou fundo várias vezes.

A sra. Taurino o encarou com as mãos na cintura.

– Continue! – ela gritou. – Coma até o fim!

De repente, o menino soltou um arroto que ecoou por todo o salão, como uma trovoada. Muitas crianças começaram a rir.

– Silêncio! – a sra. Taurino ordenou.

Bruce cortou outra fatia grossa e pôs-se a comer depressa. Ele ainda não dava sinais de esmorecimento ou desistência. Certamente não dava a impressão de estar a ponto de parar e gritar: "Não aguento, não consigo comer mais! Vou passar mal!" Continuava no páreo.

Uma mudança sutil começava a acontecer entre as duzentas e cinquenta crianças atentas que testemunhavam a cena. Até então, elas pressentiam um desastre iminente. Tinham se preparado para uma cena desagradável, imaginavam que o pobre garoto, estufado até as orelhas de bolo de chocolate, iria render-se e suplicar clemência. Então a sra. Taurino, triunfante, certamente enfiaria cada vez mais bolo na boca do menino desesperado.

Mas nada disso ocorreu. Bruce Campônio já havia consumido três quartos do bolo e continuava bem. Sentia-se que ele estava até começando a se divertir com a história. Tinha uma montanha para escalar e estava decidido a atingir o topo ou morrer tentando. Além do mais, ele parecia ter tomado consciência de seu público e de que todos ali, silenciosamente, torciam por ele. Na verdade, era uma batalha entre ele e a poderosa sra. Taurino.

De repente, alguém gritou:

– Vamos lá, Bruce! Você consegue!

A diretora olhou em volta, furiosa.

– Silêncio! – ela gritou.

O público acompanhava atentamente. Estavam todos totalmente envolvidos na disputa. Tinham vontade de começar a gritar palavras de incentivo, mas não ousavam.

– Acho que ele vai conseguir – Matilda sussurrou.

– Também acho – Lavanda concordou. – Nunca imaginei que alguém no mundo pudesse comer um bolo inteiro desse tamanho.

– A sra. Taurino também não imaginou. – Matilda comentou. – Olhe para ela. Está ficando cada vez mais vermelha. Ela vai matar o Bruce se ele vencer.

O menino começou a diminuir o ritmo. Não havia dúvida. Mas ele continuava enfiando o bolo na boca com a perseverança obstinada de um corredor de longa distância que avista a linha de chegada e sabe que tem de prosseguir. Quando o último pedaço desapareceu, o salão estremeceu com o barulho das aclamações entusiasmadas. As crianças pulavam nas cadeiras, batiam palmas e gritavam.

– Muito bem, Bruce! Parabéns, Bruce! Você ganhou uma medalha de ouro, Bruce!

A sra. Taurino estava imóvel no estrado. Seu rosto equino estava da cor de lava incandescente, e seus olhos faiscavam de raiva. Ela encarou Bruce, que continuava sentado em sua cadeira como uma enorme lagarta empanturrada, repleto, entorpecido, incapaz de se mover ou de falar. Gotículas de suor salpicavam-lhe a testa, mas havia um sorriso de triunfo em seu rosto.

De repente, a sra. Taurino lançou-se para a frente e agarrou o grande prato de louça vazio, onde havia estado o bolo. Ergueu-o no ar e o baixou com força na cabeça do pobre Bruce Campônio, fazendo os estilhaços voarem pelo estrado.

Mas o menino estava como um saco cheio de cimento molhado. Nem com uma marreta seria possível machucá-lo naquele momento. Ele só sacudiu a cabeça e continuou sorrindo.

– Vá para o inferno! – a sra. Taurino gritou, antes de sair marchando do estrado, seguida de perto pela cozinheira.

Lavanda

No meio da primeira semana do primeiro ano de escola de Matilda, a srta. Mel fez um comunicado à classe:

– Tenho uma notícia importante para vocês, portanto ouçam com atenção. Você também, Matilda. Largue um pouco o livro e me escute.

Pequenos rostinhos curiosos e atentos voltaram-se para a professora.

– A diretora tem o hábito de assumir cada classe durante um período do dia, uma vez por semana. Ela faz isso com todas as classes da escola, em dias e horários fixos. Nosso horário será às quintas-feiras à tarde, logo depois do almoço. Portanto, amanhã às duas horas a sra. Taurino dará uma aula em meu lugar. Também estarei aqui, mas só para assistir em silêncio. Entenderam?

– Sim, srta. Mel – as crianças responderam em coro.

– Agora um aviso. A sra. Taurino é muito rígida com tudo. Estejam com as roupas limpas, com as mãos e o rosto lavados. Falem apenas quando ela chamar. Quando ela fizer uma pergunta, fiquem em pé imediatamente, antes de responder. Nunca discutam com ela. Nunca revidem. Não façam gracinhas, pois isso a deixaria brava, e quando a diretora fica brava é melhor ter cuidado.

– Isso nós já sabemos – Lavanda murmurou.

– Com certeza ela irá verificar se vocês aprenderam o que estava previsto para esta semana, a tabuada do dois. Portanto, aconselho que estudem direitinho quando chegarem em casa esta noite. Peçam a seus pais que tomem a lição de vocês.

– O que mais ela vai nos perguntar? – alguém perguntou.

– Ela vai lhes pedir que soletrem – a srta. Mel disse. – Tentem lembrar tudo o que aprenderam nesses dias. Mais uma coisa: deve sempre haver um jarro de água e um copo sobre a mesa quando a diretora chegar. Ela nunca dá aula sem isso. Quem quer ficar responsável pela água?

– Eu fico – Lavanda se ofereceu.

– Muito bem, Lavanda. Será tarefa sua ir até a cozinha, pegar o jarro, enchê-lo de água e colocá-lo sobre a mesa ao lado de um copo limpo, um pouco antes do início da aula.

– E se o jarro não estiver na cozinha? – Lavanda indagou.

– Na cozinha há uma dúzia de jarros e copos da diretora – a srta. Mel respondeu. – Eles são usados na escola toda.

– Prometo que não vou esquecer – Lavanda disse.

Com sua mente ágil, Lavanda já estava pensando na oportunidade que aquela tarefa lhe oferecia. Queria fazer alguma coisa realmente heroica. Admirava Hortênsia pelas façanhas ousadas que a menina realizara na escola. Também admirava Matilda, que lhe contara em segredo sobre o papagaio que usara para enganar a família e também sobre a tintura que estragara o cabelo do pai. Agora era a vez de Lavanda tornar-se uma heroína. Era só imaginar alguma estratégia brilhante.

Aquela tarde, a caminho de casa, ela começou a tramar vários truques possíveis, e, quando finalmente a semente de uma ideia genial lhe veio à cabeça, foi desenvolvendo seu plano de ação com o mesmo cuidado com que o Duque de Wellington planejara a batalha de Waterloo.

Lógico que, no caso, o inimigo não era Napoleão. Mas ninguém na Crunchem Hall achava que a diretora fosse um adversário menos perigoso do que o famoso francês. Lavanda precisaria de muita habilidade e muita discrição para conseguir sair viva daquela empreitada.

Havia um laguinho lamacento nos fundos do jardim da casa de Lavanda, onde vivia uma colônia de salamandras. Esses animais, embora comuns nas lagoas inglesas, não são vistos com frequência, pois são criaturas tímidas e gostam de lugares escuros e escondidos. As salamandras têm um aspecto feio e asqueroso; lembram um pouco filhotes de crocodilo, mas têm a cara mais curta. São inofensivas, embora não pareçam. Medem cerca de quinze centímetros de comprimento e têm o corpo viscoso, com a pele cinza e esverdeada na parte de cima e a barriga cor de laranja. São anfíbios, que podem viver dentro ou fora da água.

Naquele fim de tarde, Lavanda foi até o fundo do jardim decidida a pegar uma salamandra. Não é fácil agarrá-las, porque elas se movem muito depressa. A menina ficou um tempão deitada na margem, esperando pacientemente, até que avistou uma das grandes. Então, usando a boina da escola como rede, inclinou-se e pescou a salamandra. Lavanda tinha forrado seu estojo de lápis com plantas aquáticas para colocar o animal, mas descobriu que não seria fácil tirá-lo do boné e fazê-lo entrar no estojo de lápis. A salamandra se debatia sem parar e, além disso, o estojo era muito apertado para ela. Quando finalmente Lavanda conseguiu o que pretendia, teve que tomar cuidado para não prender a cauda da salamandra ao fechar a tampa. Um vizinho, Rupert Bonjuízo, tinha

dito que a cauda da salamandra, quando cortada, crescia até formar outra salamandra dez vezes maior, que podia chegar a ter o tamanho de um jacaré. Lavanda não tinha acreditado muito naquilo, mas, por via das dúvidas, achou melhor não arriscar.

Cuidadosamente, a menina fechou bem a tampa do estojo. Agora, a salamandra era sua. Depois ela pensou melhor e abriu a tampa só um pouquinho, para o animal poder respirar.

No dia seguinte, Lavanda levou sua arma secreta para a escola dentro da mochila. Estava tensa e agitada, ansiosa para contar seu plano para Matilda. Na verdade, queria contar para a classe inteira. Mas acabou resolvendo não contar a ninguém. Assim ninguém poderia denunciá-la, nem mesmo sob a mais violenta tortura.

Chegou a hora do almoço. Serviram salsicha com feijão, um dos pratos favoritos de Lavanda, mas ela não conseguiu comer.

– Você está bem, Lavanda? – a srta. Mel perguntou da cabeceira da mesa.

– Comi muito no café da manhã – Lavanda respondeu. – Não cabe mais nada no meu estômago.

Assim que terminou o almoço, a menina correu para a cozinha e encontrou um dos famosos jarros da sra. Taurino. Era um jarro largo, azul, de cerâmica esmaltada. Lavanda encheu-o de água até a metade, pegou um copo, foi para a classe e colocou tudo sobre a mesa da professora.

Ainda não havia ninguém na sala. Rápida como um raio, Lavanda tirou o estojo da mala e abriu um pouco mais a tampa. A salamandra estava imóvel. Com muito

cuidado, a menina segurou o estojo sobre o bocal do jarro, abriu bem a tampa e empurrou a salamandra para a água. O animal agitou-se ruidosamente por alguns segundos, até adaptar-se ao novo ambiente. Para ele se sentir melhor, Lavanda decidiu despejar também todas as plantas aquáticas que estavam forrando o estojo.

Missão cumprida. Tudo pronto. Lavanda colocou os lápis de volta no estojo molhado e o colocou sobre sua carteira. Depois, saiu e juntou-se às outras crianças no pátio, até a hora de começar a aula.

O teste semanal

Os alunos entraram na classe às duas horas em ponto. A srta. Mel verificou que o jarro de água e o copo já se encontravam em seu devido lugar e foi assumir seu posto, em pé no fundo da sala. Todos esperavam. De repente, a figura gigantesca da diretora marchou para dentro da classe, com o casacão preso pelo cinto e as calças verdes de elástico.

– Boa tarde, crianças – ela cumprimentou, com sua voz forte.

– Boa tarde, sra. Taurino – todos responderam.

A diretora parou diante da classe, com as pernas afastadas, as mãos nos quadris, examinando os pequenos alunos que aguardavam nervosamente, sentados nas carteiras.

– *Não* é uma visão muito agradável – ela disse. Sua expressão era de total desagrado, como se estivesse olhando para um cocô de cachorro no meio da sala. – Que bando de pirralhinhos asquerosos!

Todos tiveram o bom senso de permanecer em silêncio.

– Fico com vontade de vomitar quando penso que vou ter que aturar um monte de lixo como vocês em minha escola durante os próximos seis anos – ela prosseguiu. – Estou vendo que logo vou ter que expulsar o maior número possível de vocês para salvar minha sanidade mental.

A diretora fez uma pausa e emitiu vários sons de desprezo. Era um barulho engraçado, parecido com o que se ouve no estábulo, quando os cavalos estão sendo alimentados.

– Imagino que suas mães e seus pais sempre lhes digam que vocês são maravilhosos. Pois estou aqui para lhes dizer o contrário, e é melhor acreditarem em mim. Todos de pé! – retomou a sra. Taurino.

Todos se levantaram depressa.

– Agora, estendam as mãos para a frente. Conforme eu for passando, quero que as virem para eu ver se estão limpas dos dois lados.

A diretora começou a marchar lentamente ao longo das filas de carteiras, inspecionando as mãos. Tudo corria bem, até que ela chegou a um menino da segunda fila.

– Como é seu nome? – ela perguntou.

– Nigel – o menino disse.

– Nigel o quê?

– Nigel Rústico.

– Nigel Rústico o quê? – a sra. Taurino falou tão alto que quase soprou o menino janela abaixo.

– Só isso – Nigel respondeu. – A menos que a senhora queira saber meus nomes do meio também.

Que garoto corajoso! Dava para perceber que ele tentava não se apavorar com a imensa Górgona parada à sua frente.

– Não quero saber seus nomes do meio, idiota! – a Górgona gritou. – Como é o *meu* nome?

– Sra. Taurino – Nigel disse.

– Então use-o quando se dirigir a mim! Vamos tentar de novo. Como é seu nome?

– Nigel Rústico, sra. Taurino – Nigel respondeu.

– Ah, assim está melhor. Suas mãos estão sujas, Nigel! Quando foi a última vez que as lavou?

– Deixe ver... é difícil lembrar exatamente. Acho que foi ontem, ou talvez anteontem.

O corpo e o rosto da sra. Taurino foram inchando, como se estivesse sendo inflada com uma bomba de pneu de bicicleta.

– Eu sabia! Assim que o vi percebi que você não passava de um pedaço de sujeira! O que seu pai faz? Trabalha em algum esgoto?

– Ele é médico – Nigel respondeu. – E muito bom. Ele diz que já estamos tão cobertos de micróbios, que um pouco mais de sujeira não mata ninguém.

– Ainda bem que ele não é meu médico! Posso saber por que esse feijão na sua camisa?

– Nós comemos feijão no almoço, sra. Taurino.

– E você costuma colocar o almoço na camisa, Nigel? É isso que esse médico famoso que é seu pai o ensinou a fazer?

– É difícil comer feijão, sra. Taurino. Os grãos ficam caindo do garfo.

– Você é nojento! – a sra. Taurino esbravejou. – E uma fábrica de germes ambulante! Não quero mais ver você hoje! Vá ficar de pé no canto, apoiado numa perna só e com a cara virada para a parede!

– Mas, sra. Taurino...

– Não discuta comigo, menino, senão faço você ficar parado de cabeça para baixo! Obedeça já!

Nigel foi para um canto da sala.

– Agora fique aí, enquanto eu testo se você sabe soletrar. Quero ver se aprendeu alguma coisa esta semana. E não se vire quando falar comigo. Fique com esse rosto imundo virado para a parede! Agora, soletre "sexto".

– Qual? – Nigel perguntou. – O que vem depois de quinto ou aquilo onde a gente joga lixo?

Ele era muito esperto, e a mãe o ajudara bastante em casa com as lições de ler e soletrar.

– O que vem depois de quinto, seu cretino.

Nigel soletrou corretamente, para surpresa da sra. Taurino. Ela achou que tinha escolhido uma palavra difícil, que o menino ainda não devia ter aprendido, e ficou irritada por ele ter acertado.

– Ontem a srta. Mel nos ensinou a soletrar uma palavra nova muito comprida – Nigel contou, ainda se equilibrando sobre uma perna só e virado para a parede.

– Ah, é? E que palavra foi? – a sra. Taurino perguntou, delicadamente. Quanto mais macia sua voz se tornava, maior era o perigo, mas Nigel não sabia disso.

– "Dificuldade" – Nigel disse. – Agora todo mundo na classe sabe soletrar "dificuldade".

– Que absurdo! – a sra. Taurino retrucou. – Vocês só vão aprender palavras longas como essa quando tiverem oito ou nove anos. Não venha me dizer que todos na classe sabem soletrar essa palavra. Você está mentindo para mim, Nigel.

– Pode perguntar para quem a senhora quiser – Nigel garantiu, arriscando-se.

Os olhos faiscantes e perigosos da sra. Taurino percorreram a sala.

– Você – disse ela, apontando para uma menininha miúda e um pouco lenta de raciocínio, chamada Prudence. – Soletre "dificuldade".

Para surpresa de todos, Prudence soletrou corretamente e sem hesitar.

A diretora ficou boquiaberta.

– Humf! – ela grunhiu, com ar de desdém. – A srta. Mel deve ter perdido uma aula inteira para ensiná-los a soletrar só uma palavra!

– Ah, não – respondeu Nigel. – A srta. Mel ensinou essa palavra em três minutos, de um jeito que a gente nunca mais vai esquecer. Ela nos ensina muitas palavras em três minutos.

– E qual é, exatamente, esse método mágico, srta. Mel? – a diretora perguntou.

– Vou lhe mostrar – interveio novamente o corajoso Nigel, socorrendo a srta. Mel. – Por favor, será que eu poderia colocar meu outro pé no chão e me virar para mostrar?

– Não! – disse a sra. Taurino, irritada. – Fique onde está e mostre assim mesmo!

– Está bem – disse Nigel, oscilando sobre uma perna só. – A srta. Mel nos dá uma musiquinha sobre cada palavra, todos cantamos juntos e aprendemos a soletrar num instante. Quer ouvir a música de "dificuldade"?

– Eu adoraria – a sra. Taurino disse, com a voz carregada de sarcasmo.

– É assim...

E Nigel cantarolou:

dê, i, di
efe, i, fi
cê de cão
u de uivar
éle de luar
dificul
mais dê, a, da
dê, e, de
dificuldade

– Que coisa mais ridícula! – a diretora exclamou. – Você não tem nada que inventar de misturar música com aula, Mel! Acabe com isso já!

– Mas esse método tem funcionado muito bem para ensinar algumas palavras mais difíceis – a srta. Mel murmurou.

– Não discuta comigo, srta. Mel! – a diretora explodiu. – Faça o que eu mando! Agora, vou fazer um teste com as tabuadas de multiplicação para ver se a srta. Mel ensinou direito!

A sra. Taurino voltara a seu lugar diante da classe, e seu olhar diabólico percorria lentamente as fileiras de alunos.

– Você! – ela gritou, apontando para um menino da primeira fila que se chamava Rupert. – Quanto são duas vezes sete?

– Dezesseis – Rupert respondeu, com a maior naturalidade.

A sra. Taurino começou a avançar lentamente na direção de Rupert, como um tigre se aproximando da presa. Rupert percebeu de repente os sinais de perigo e tentou corrigir-se depressa.

– Dezoito! – ele gritou. – Duas vezes sete são dezoito e não dezesseis!

– Seu vermezinho ignorante! – a sra. Taurino trovejou. – Sua erva daninha! Seu piolho de cabeça oca! Sua minhoca imbecil!

Ela estacionou bem atrás de Rupert. De repente, estendeu a mão do tamanho de uma raquete de tênis e agarrou todos os fios de cabelo do menino com o punho fechado. Rupert tinha cabelo loiro e sua mãe o deixava comprido, porque o achava muito bonito. A sra. Taurino tinha a mesma antipatia por cabelo comprido em meninos que por trancinhas e marias-chiquinhas em meninas e estava prestes a demonstrar isso.

Apertando firmemente o cacho dourado de Rupert com sua mão gigante, levantou seu musculoso braço direito, ergueu o menino da cadeira e o segurou suspenso no ar.

Rupert gritava, se debatia, se agitava, chutava o ar, como um bichinho indefeso.

– Duas vezes sete são catorze! – a sra. Taurino urrou. – Duas vezes sete são catorze! Não vou soltá-lo até você repetir isso!

Do fundo da classe, a srta. Mel protestou.

– Sra. Taurino, por favor, ponha-o no chão! A senhora está machucando o menino! O cabelo dele pode cair!

– Pode mesmo, se ele não parar de se contorcer! – a sra. Taurino zombou. – Fique quieto, verme!

Foi uma cena horrorosa, a diretora gigantesca segurando o menino no ar e ele lutando, chutando e gritando como um desesperado.

– Diga! – a sra. Taurino insistia. – Diga que duas vezes sete são catorze! Depressa, antes que eu comece a sacudir você para cima e para baixo e que você perca cabelo suficiente para estofar um sofá! Diga que duas vezes sete são catorze e eu largo você!

– D-d-duas v-vezes sete são c-c-catorze – gaguejou Rupert.

A sra. Taurino, cumprindo sua palavra, abriu a mão e, literalmente, largou o garoto. Ele estava bem longe do chão e desabou lá de cima como uma bola de futebol.

– Levante-se e pare de choramingar – ela ordenou.

Rupert levantou-se e voltou para o lugar, massageando a cabeça com as duas mãos. A diretora voltou para a frente da classe. As crianças estavam imóveis, como que hipnotizadas. Elas nunca tinham visto nada parecido. Era um espetáculo fantástico, melhor do que uma pantomima, mas com uma grande diferença: naquela sala havia uma enorme bomba humana, que podia explodir e arrebentar todo mundo a qualquer momento. Os olhos das crianças estavam presos na diretora.

– Não gosto de crianças – ela dizia. – Crianças deviam ser invisíveis. Deviam ser guardadas dentro de caixas, como grampos de cabelo e botões. Não consigo entender por que as crianças têm que demorar tanto para crescer. Acho que fazem isso de propósito.

Outro menino da primeira fila, extremamente corajoso, resolveu falar.

– Mas a senhora também já foi pequena, não é, sra. Taurino?

– Eu *nunca* fui pequena – ela revidou. – Toda a vida eu fui grande, e não entendo por que os outros não podem ser do mesmo jeito.

– Mas a senhora deve ter começado como um bebê – o menino disse.

– *Eu!* Bebê! – a sra. Taurino gritou. – Como ousa dizer isso? Que topete! Que insolência absurda! Como é seu nome, menino? E fique de pé quando falar comigo!

O menino se levantou.

– Meu nome é Eric Tinta, sra. Taurino.

– Eric *o quê*? – a sra. Taurino berrou.

– Tinta – o menino disse.

– Não seja idiota, menino! Esse nome não existe!

– É só olhar na lista telefônica – o menino defendeu-se. – O nome do meu pai está lá, no sobrenome Tinta.

– Pois muito bem. Você pode ser Tinta, garoto, mas fique sabendo uma coisa. Você não é permanente. E não vai demorar para eu apagar você daqui se tentar bancar o espertinho comigo! Soletre hoje.

– Como? Não entendi. Quando a senhora quer que eu soletre?

– Soletre hoje, seu idiota! Quero que soletre a palavra "hoje"!

– O... G... E – Eric disse, respondendo rápido demais.

Fez-se um silêncio aterrador.

– Vou lhe dar mais uma chance – a sra. Taurino disse, sem sair do lugar. Vamos! Soletre a palavra "hoje"!

– Ah, é, já sei. Tem um H. H... O... G... E. É fácil.

Com dois passos largos, a diretora postou-se atrás da carteira de Eric e ficou ali, um pilar de catástrofe iminente pairando sobre o menino indefeso. Eric lançou um olhar assustado para o monstro às suas costas.

– Eu acertei, não foi? – ele murmurou, nervoso.

– Você *errou*! – a sra. Taurino gritou. – Na verdade, acho que você é uma pústula virulenta que vai estar *sempre* errada! Você se senta errado! Você tem a aparência errada! Você fala errado! Você é todo errado! Vou lhe dar uma última chance! Soletre "hoje"!

Eric hesitou. Depois foi dizendo, muito devagar:

– Não é O... G... E e não é H... O... G... E. Ah, já sei. Deve ser H... O... G... I. Sim, é isso! H... O... G... I.

Parada atrás de Eric, a sra. Taurino estendeu os braços e agarrou as duas orelhas do menino, uma com cada mão, apertando-as entre o polegar e o indicador.

– Ai! – Eric gritou. – Ai! A senhora está me machucando!

– Pois ainda nem comecei – a sra. Taurino disse, ríspida. Segurando com firmeza as orelhas do menino, levantou-o da cadeira e o suspendeu no ar.

Como Rupert, Eric também gritou desesperadamente.

Do fundo da classe, a srta. Mel não conseguiu se conter.

– Sra. Taurino! Não! Por favor! Largue-o! As orelhas dele podem cair!

– Não vão cair – a sra. Taurino garantiu. – Descobri através da minha longa experiência, srta. Mel, que as orelhas das crianças estão muito bem pregadas em suas cabeças.

– Solte-o, sra. Taurino, por favor – suplicou a srta. Mel. – A senhora pode machucá-lo! Pode arrancar as orelhas dele!

– As orelhas nunca se soltam! – a sra. Taurino gritou. – Elas se esticam bastante, como estas aqui, mas garanto que não se soltam!

Eric berrava e pedalava no ar com as pernas.

Matilda nunca tinha visto um menino, nem outra pessoa, suspenso no ar apenas pelas orelhas. Como a srta. Mel, ela tinha medo de que as orelhas do colega se soltassem a qualquer momento, com todo aquele peso que estavam tendo que aguentar.

A sra. Taurino começou a gritar:

– A palavra "hoje" soletra-se H... O... J... E. Agora, trate de soletrá-la, seu imbecil!

Eric não hesitou. Vendo Rupert, alguns minutos antes, ele tinha aprendido que, quanto mais depressa respondesse, mais depressa seria libertado.

– "Hoje" se soletra H... O... J... E! – ele gritou.

Ainda segurando Eric pelas orelhas, a diretora o colocou na cadeira. Depois marchou de volta para a mesa, esfregando as mãos uma na outra, como se tivesse mexido em alguma sujeira.

– É assim que eles aprendem, Mel – ela disse. – Vá por mim, não adianta só *falar* com eles. É preciso *enfiar* as coisas dentro dessas cabeças, nem que seja à força. Não há nada como uma boa torcida de pescoço para fazê-los lembrar as coisas. É excelente para concentrar as mentes.

– Mas a senhora pode lhes causar danos permanentes, sra. Taurino – protestou a srta. Mel, inconformada.

– Ah, eu sei disso – a sra. Taurino respondeu, sorrindo. – As orelhas de Eric devem ter crescido bastante nesses últimos minutos! Estão muito mais compridas agora do que estavam antes. Mas isso não é problema, Mel. Ele terá uma interessante aparência de duende pelo resto da vida.

– Mas, sra. Taurino...

– Cale a boca, Mel! Você é tão molenga quanto eles. Se não consegue se adaptar ao esquema desta escola, pode ir embora e procurar emprego em algum colégio particular para garotos ricos e mimados. Quando tiver os anos de experiência que eu tenho, vai perceber que não adianta ser boazinha com crianças. Leia *Nicholas Nickleby*, de Dickens, srta. Mel. Leia sobre o sr. Wackford Squeers, o admirável diretor da Dotheboys Hall. *Ele* sabia lidar com esses monstrinhos, ah, se sabia! Sabia usar a vara de marmelo! Esquentava tanto os traseiros dessas pestinhas que dava até para fritar ovos com bacon em cima deles! Bom livro, aquele. Mas não creio que estes palermas que temos aqui cheguem a lê-lo algum dia. Pela cara deles, nunca irão aprender a ler coisa alguma!

– Eu li – Matilda disse, timidamente.

A sra. Taurino examinou atentamente a menininha de cabelos escuros e olhos castanhos que estava sentada na segunda fila.

– O que você disse? – perguntou, brusca.

– Eu disse que li, sra. Taurino.

– Leu o quê?

– *Nicholas Nickleby*, sra. Taurino.

– Você está mentindo para mim, menina! – gritou a diretora, lançando um olhar feroz para Matilda. – Não acredito que haja uma única criança nesta escola inteira que tenha lido esse livro! E você, uma pirralhinha que ainda nem saiu do ovo, sentada na classe mais elementar, vem tentar me contar uma mentira deslavada como essa! Por quê? Está pensando que sou idiota? Está, garota?

– Bem... – Matilda murmurou, hesitante. Tinha vontade de dizer "Estou, sim!", mas isso seria suicídio. – Bem... – ela repetiu, ainda hesitando, ainda se recusando a dizer "Não".

A sra. Taurino adivinhou o que Matilda estava pensando e não gostou nem um pouco.

– Fique de pé ao falar comigo! Como é seu nome?

– Meu nome é Matilda Losna, sra. Taurino.

– Losna, hein? Então você deve ser a filha do proprietário da Losna Automóveis, certo?

– Sou, sim, sra. Taurino.

– Ele é um vigarista! – a diretora gritou. – Há uma semana ele me vendeu um carro usado dizendo que era quase novo. Na ocasião eu o achei uma pessoa muito simpática. Mas hoje de manhã eu estava dirigindo pela cidade e o motor inteiro caiu no meio da rua! Estava tudo cheio de serragem! O homem é um ladrão trapaceiro! Vou arrancar a pele dele, você vai ver só!

– Ele é esperto nos negócios – Matilda disse.

– Esperto uma ova! – a sra. Taurino berrou. – A srta. Mel me disse que *você* também é esperta! Pois eu não gosto de gente esperta, menina! São todos trapaceiros! *Você* deve ser uma trapaceira também! Antes de eu descobrir o tipo de homem que é seu pai, ele me contou umas histórias bem desagradáveis sobre seu comportamento em casa! Mas é melhor não tentar nenhum de seus truques aqui na escola, mocinha. Daqui em diante vou ficar de olho em você. Sente-se e fique quieta!

O primeiro milagre

Matilda sentou-se de novo na carteira. A diretora também se sentou na cadeira atrás da mesa da professora. Era a primeira vez que ela se sentava desde o início da aula. Em seguida, esticou o braço e pegou o jarro de água. Segurando o jarro pela alça, mas ainda sem o levantar, ela disse para a classe:

– Nunca consegui entender por que crianças pequenas são tão repugnantes. São a maldição da minha vida. São como insetos. Deveríamos nos livrar delas o mais cedo possível. Moscas são eliminadas com inseticida e papel pega-mosca. Sempre pensei em inventar um preparado para acabar com crianças pequenas. Como eu gostaria de entrar nesta classe com um imenso aparelho de dedetização contra crianças! Ou, melhor ainda, gostaria de pendurar por toda a escola algumas tiras enormes de papel pega-crianças. Vocês todos ficariam grudados nelas e minha tortura teria fim. Não seria uma boa ideia, srta. Mel?

– Se está querendo fazer piada, sra. Diretora, não achei graça nenhuma – a srta. Mel respondeu, do fundo da sala.

– Não achou, não é, Mel? – a sra. Taurino disse. – Pois *não foi* piada. Na minha opinião, srta. Mel, escola perfeita é aquela onde não há nenhuma criança. Qualquer dia ainda vou montar uma escola desse tipo. Aposto que será um sucesso.

Essa mulher é desequilibrada, a srta. Mel pensou. *Totalmente problemática. É dela que precisamos nos livrar.*

A sra. Taurino ergueu o grande jarro de cerâmica azul e despejou um pouco de água no copo. Então, junto com a água, uma salamandra comprida e pegajosa deslizou para dentro do copo, *plop*!

A sra. Taurino deu um grito e pulou da cadeira, como se uma bombinha tivesse explodido debaixo dela. Nesse momento, as crianças viram a criatura comprida e ondulante, de barriga alaranjada, se contorcendo e serpenteando dentro do copo, e também começaram a se agitar e pular, gritando:

– O que é isso? Ai, que nojo! É uma cobra! É um filhote de crocodilo! É um jacaré!

– Cuidado, sra. Taurino! – alertou Lavanda. – Ela deve morder!

A diretora, aquela mulher gigantesca e poderosa, ficou ali paralisada, com as calças verdes de elásticos nos joelhos, tremendo como gelatina. Estava furiosa, principalmente por ter pulado e gritado daquele jeito. Logo ela, que sempre se orgulhara de sua firmeza. Ficou olhando para o animal que se contorcia e se agitava dentro do copo. Curiosamente, nunca tinha visto um bicho daquele antes. História natural não era o seu forte. Não tinha a menor ideia do que era aquela coisa. Sem dúvida tinha um aspecto extremamente desagradável. Lentamente, ela voltou a se sentar. Estava mais aterrorizante do que nunca. Faíscas de fúria e ódio incendiavam seus pequenos olhos escuros.

– Matilda! – ela gritou. – De pé!

– Quem, eu? – Matilda exclamou, surpresa. – O que foi que eu fiz?

– Fique de pé, sua barata nojenta!

– Mas eu não fiz nada, sra. Taurino, sinceramente. Nunca vi essa coisa viscosa antes!

– De pé imediatamente, sua larva imunda!

Relutante, Matilda se levantou. Estava na segunda fila. Lavanda, na fileira de trás, sentia-se um pouco culpada. Não tivera a intenção de colocar a amiga em apuros. Mas certamente não iria se entregar.

– Você é um monstrinho vil, repulsivo, repelente e perverso! – a sra. Taurino gritava. – Não serve para ficar nesta escola! Devia estar presa numa cela, isso sim! Vou expulsar você deste estabelecimento e desmoralizá-la diante de todos! Vou fazer os bedéis escorraçarem você pelos corredores e jogarem você porta afora debaixo de pauladas! Os funcionários irão acompanhá-la armados até sua casa. Depois, tomarei todas as providências para que você seja internada num reformatório para delinquentes durante pelo menos quarenta anos!

A sra. Taurino estava furiosa, seu rosto estava totalmente vermelho e pequenas gotas de saliva juntavam-se nos cantos de sua boca. Mas ela não era a única pessoa que estava perdendo a calma naquela sala. Matilda também começava a se enfurecer. Não se importava de ser acusada por alguma coisa que de fato tivesse feito. Entendia que isso era justo. Mas para ela era novidade ser acusada de um crime que não cometera. Matilda não tinha absolutamente nada a ver com a criatura repugnante que estava dentro daquele copo. E não permitiria que aquela sra. Taurino horrorosa jogasse a culpa nela!

– *Eu não fiz isso!* – ela gritou.

– Óbvio que fez! – a diretora revidou. – Ninguém mais poderia ter inventado uma travessura dessas! Seu pai estava com a razão ao me alertar a seu respeito!

A mulher parecia ter perdido o controle completamente. Gritava como uma histérica:

– Você está acabada nesta escola, mocinha! Está acabada em qualquer parte! Vou providenciar pessoalmente sua transferência para um lugar onde nem os corvos possam fazer cocô na sua cabeça! É provável que você nunca mais veja a luz do dia!

– *Estou lhe dizendo que não fui eu!* – Matilda insistiu. – Nunca vi uma criatura como essa na minha vida!

– Você pôs um... um... um crocodilo na minha água! – a sra. Taurino berrou de volta. – Não há crime pior que possa ser cometido contra uma diretora! Agora sente-se e não abra mais a boca! Vamos, sente-se já!

– *Mas eu estou lhe dizendo...* – Matilda protestou, recusando-se a sentar.

– Eu estou lhe dizendo para calar a boca! – a sra. Taurino ordenou. – Se não ficar quieta e não se sentar neste instante, vou tirar meu cinto e acertar você com a fivela!

Lentamente, Matilda se sentou. Ah, que coisa absurda! Que mundo mais injusto! Como ousavam expulsá-la por algo que não havia feito?

Matilda sentia-se cada vez mais furiosa... mais furiosa... mais furiosa... tão insuportavelmente furiosa que alguma coisa parecia prestes a explodir dentro dela.

A salamandra continuava a se contorcer dentro do copo de água. Parecia estar sentindo um desconforto terrível. O copo não era suficientemente grande para ela. Matilda olhou com raiva para a sra. Taurino. Como a odiava! Olhou para o copo com a salamandra. Tinha vontade de andar até lá, pegar o copo e virar água e salamandra por cima da cabeça da diretora. Mas ela tremia só de pensar no que a sra. Taurino faria com ela se isso acontecesse.

A sra. Taurino estava sentada atrás da mesa, fitando com uma mistura de horror e fascínio a salamandra que se agitava no copo. Os olhos de Matilda também estavam fixos no copo. De repente, devagarinho, uma sensação estranha começou a invadir Matilda. A sensação localizava-se principalmente nos olhos. Uma espécie de eletricidade parecia estar se juntando dentro deles. Um poder inesperado formava-se naqueles seus olhos, uma sensação de grande força instalava-se profundamente dentro dos olhos castanhos de Matilda. Mas havia também uma sensação diferente, que ela não conseguia entender. Era como se fossem raios. Pequenos feixes de luz pareciam estar saindo de seus olhos. Suas pupilas começaram a esquentar, como se uma energia enorme estivesse se acumulando dentro delas. A sensação era impressionante. Matilda manteve os olhos fixos no copo. Agora o poder concentrava-se num pequeno pedaço de cada olho, cada vez mais forte; a impressão era que milhões de minúsculos bracinhos invisíveis com mãos nas extremidades saíam de seus olhos projetando-se na direção do copo que ela estava fitando.

– *Vire!* – Matilda murmurou. – *Vire!*

Ela viu o copo balançar. De fato, o copo inclinou-se uma fração de centímetro para trás e, depois, voltou a se endireitar. Matilda continuou a empurrá-lo com todos aqueles milhões de bracinhos invisíveis que saíam de seus olhos, sentindo o poder que se irradiava diretamente dos dois pontos pretos bem no centro de cada uma de suas pupilas.

– *Vire!* – murmurou de novo. – *Vire!*

Mais uma vez o copo balançou. Ela empurrou com mais força ainda, desejando que seus olhos concentrassem mais poder. Então, muito devagar, tão devagar que ela mal conseguiu ver o que ia acontecendo, o copo começou a se inclinar para trás, cada vez mais, até equilibrar-se apenas sobre um lado de sua base. Ele oscilou por alguns segundos antes de, finalmente, virar de uma vez e cair com um ruído agudo sobre a mesa. A água e

a salamandra serpenteante foram despejadas em cheio sobre o peito enorme da sra. Taurino. A diretora deu um grito que provavelmente fez estremecer todas as janelas do prédio e, pela segunda vez nos últimos cinco minutos, ela pulou da cadeira como um foguete. A salamandra agarrou-se desesperada ao tecido do casacão, sobre os peitos volumosos da mulher, firmando-se com as garras de suas patinhas. A sra. Taurino olhou para baixo, viu a criaturinha viscosa, gritou mais alto ainda e, com um movimento rápido da mão, fez o bichinho sair voando pela classe. A salamandra aterrissou no chão, ao lado da carteira de Lavanda. A menina inclinou-se rapidamente, pegou-a e tornou a enfiá-la no seu estojo de lápis. Achou que era útil ter uma salamandra à mão.

A diretora, com o rosto mais vermelho do que nunca, estava parada diante da classe, tremendo de ódio. Seu peito imenso subia e descia e a água tinha formado uma trilha escura em sua roupa. Certamente o banho a havia encharcado até os ossos.

– *Quem fez isso?* – ela rugiu. – *Vamos! Entregue-se! Dê um passo à frente! Desta vez você não escapa! Quem é responsável por este golpe baixo? Quem empurrou este copo?*

Ninguém respondeu. A sala estava silenciosa como um túmulo.

– Matilda! – ela berrou. – Foi você! Eu sei que foi você!

Matilda, na segunda fila, continuou sentada quietinha e não disse nada. Uma estranha sensação de serenidade e confiança começava a tomar conta dela. De repente ela descobriu que não tinha medo de ninguém no mundo. Apenas com o poder de seus olhos tinha feito um copo de água tombar e derrubar seu conteúdo sobre a horrenda sra. Taurino. Uma pessoa capaz de fazer isso era capaz de qualquer coisa.

– Fale, sua peste! – a sra. Taurino insistiu. – Admita que foi você!

Matilda encarou de frente a gigante enfurecida e disse com toda a calma:

– Sra. Taurino, desde o início da aula eu não saí da minha carteira. É só o que posso dizer.

De repente, toda a classe pareceu levantar-se contra a diretora.

– Ela nem se mexeu! – gritavam todos. – Matilda não se moveu! Ninguém se moveu! A senhora mesma deve ter batido no copo!

– Lógico que não bati no copo! – a sra. Taurino gritava, indignada. – Como vocês ousam sugerir uma coisa dessas? Fale, Mel! Você deve ter visto alguma coisa! Quem derrubou meu copo?

– Não foi nenhuma das crianças, sra. Taurino – respondeu a srta. Mel. – Posso garantir que ninguém saiu da carteira durante todo o tempo que a senhora esteve aqui, a não ser Nigel, mas ele não saiu do canto onde a senhora o colocou de castigo.

A sra. Taurino lançou um olhar furioso para a srta. Mel, mas a professora a encarou sem pestanejar.

– Estou dizendo a verdade, sra. Diretora. A senhora mesma deve ter derrubado o copo sem perceber. Não é difícil acontecer isso.

– Estou farta de vocês, bando de pigmeus inúteis! – bradou a diretora. – Recuso-me a continuar perdendo meu precioso tempo aqui!

Dizendo isso, ela marchou para fora da classe e bateu a porta. No silêncio atordoado que se seguiu, a srta. Mel caminhou até a frente da classe e se pôs de pé atrás da mesa.

– Ufa! – ela suspirou. – Acho que por hoje tivemos uma dose suficiente de escola, não é mesmo? A classe está dispensada. Podem ir brincar no pátio e esperar lá até que seus pais venham buscá-los.

O segundo milagre

Matilda não se juntou às crianças que se acotovelavam para sair da sala. Depois que todos os seus colegas desapareceram, ela continuava sentada na carteira, quieta e pensativa. Sabia que precisava contar a alguém o que tinha acontecido com o copo. Não podia guardar um segredo daquele tamanho. Tinha necessidade pelo menos de uma única pessoa, de um adulto compreensivo e sensato que pudesse ajudá-la a entender o significado daquele acontecimento extraordinário.

Nem sua mãe nem seu pai poderiam ajudá-la. Mesmo que acreditassem na história, e disso ela duvidava, quase com certeza não perceberiam quanto era surpreendente o que se passara na sala de aula naquela tarde. Num impulso, Matilda decidiu que a única pessoa em quem poderia confiar era a srta. Mel.

Só Matilda e a srta. Mel permaneciam na classe. A professora sentara-se à mesa e estava mexendo em seus papéis. A certa altura, levantou os olhos e viu Matilda.

– Você não vai sair com os outros, Matilda?

– Por favor, posso conversar um pouquinho com a senhora? – ela pediu.

– Com certeza. Qual é o problema?

– Aconteceu uma coisa muito estranha comigo, srta. Mel.

A srta. Mel ficou alerta. Depois dos dois últimos encontros desastrosos que havia enfrentado por causa de Matilda, o primeiro com a diretora e o segundo com o sr. e a sra. Losna, a srta. Mel tinha pensado muito naquela menina, tentando imaginar uma maneira de ajudá-la. Agora, lá estava Matilda, na classe, com uma expressão exaltada no rosto, querendo conversar com ela em particular. A srta. Mel nunca tinha visto a menina tão preocupada e aturdida como naquele instante.

– É mesmo? O que foi que aconteceu de tão estranho, Matilda?

– A sra. Taurino não vai me expulsar, não é? – Matilda perguntou. – Porque não fui eu que coloquei aquele bicho no jarro de água. Juro que não fui eu.

– Eu sei que não foi você.

– E eu vou ser expulsa?

– Acho que não – a srta. Mel disse. – A diretora ficou um pouco exaltada, só isso.

– Ainda bem – Matilda aliviou-se. – Mas não era sobre isso que eu queria falar.

– Sobre o quê, então, Matilda?

– Quero conversar sobre o copo de água com o bicho dentro. A senhora viu quando ele virou em cima da sra. Taurino, não é?

– Vi.

– Srta. Mel, eu não toquei no copo. Nem cheguei perto dele.

– Eu sei, Matilda. Você ouviu quando eu disse à diretora que não podia ter sido você.

– Mas *fui* eu, srta. Mel – Matilda disse. – É exatamente sobre isso que eu queria falar.

A srta. Mel fez uma pausa e olhou atentamente para a menina.

– Acho que não estou entendendo muito bem.

– Fiquei tão brava por ser acusada de uma coisa que eu não tinha feito, que acabei causando aquilo.

– Você causou o quê, Matilda?

– Fiz o copo virar.

– Ainda não estou entendendo o que você quer dizer – a srta. Mel disse, gentil.

– Fiz com meus olhos – Matilda explicou. – Eu fiquei olhando para o copo e desejando que ele virasse. Então meus olhos ficaram quentes e esquisitos, uma espécie de força saiu deles e o copo virou.

A srta. Mel continuou a fitar atentamente sua pequena aluna através dos óculos de aros finos, enquanto Matilda a encarava com a mesma firmeza.

– Ainda não estou entendendo – a srta. Mel disse. – Você está dizendo que realmente desejou que o copo virasse?

– É – Matilda confirmou. – Com meus olhos.

A srta. Mel ficou em silêncio por um momento. Não podia acreditar que Matilda tivesse ficado esperando na classe para lhe contar uma mentira. Era mais provável que ela simplesmente estivesse se deixando levar pela imaginação.

– Quer dizer que daí do seu lugar você mandou o copo cair e ele caiu?

– É mais ou menos isso, srta. Mel.

– Se você fez isso, é um dos maiores milagres que uma pessoa já realizou desde o tempo de Jesus.

– Pois eu fiz, srta. Mel.

Pensando na frequência com que crianças pequenas criavam fantasias como aquela, a srta. Mel resolveu pôr um fim naquela história da maneira mais gentil possível.

– Você seria capaz de fazer isso outra vez, Matilda?

– Não sei, talvez consiga.

A srta. Mel colocou o copo, que agora estava vazio, no meio da mesa.

– Quer que eu ponha água nele? – perguntou, sorrindo.

– Acho que não faz diferença – Matilda respondeu.

– Pois bem. Então vamos, vire-o.

– Talvez demore um pouco.

– Fique à vontade – a srta. Mel a tranquilizou. – Não estou com pressa.

Matilda, sentada na segunda fila, a cerca de três metros da srta. Mel, colocou os cotovelos sobre a carteira e apoiou o rosto nas mãos, com os olhos fixos no copo. Dessa vez, deu a ordem já desde o começo: "*Vire, copo, vire!*" Mas seus lábios não se moveram e ela não emitiu nenhum som. Só gritou as palavras dentro de sua cabeça. Em seguida, a menina concentrou sua mente, seu cérebro e sua vontade nos olhos. Mais uma vez, e mais depressa do que antes, sentiu a eletricidade se acumulando, o poder começou a emergir e o calor chegou a suas pupilas. Logo, milhões de bracinhos invisíveis com mãos nas extremidades se projetaram na direção do copo e, sem emitir absolutamente nenhum som, Matilda continuava gritando dentro de sua cabeça para o copo virar. A menina o viu balançar, depois inclinar-se para a direita e cair sobre a mesa, a menos de trinta centímetros dos braços cruzados da srta. Mel.

A professora ficou boquiaberta, e seus olhos se arregalaram tanto, que dava para ver o círculo branco em toda a volta de suas pupilas. Ela não disse nada. Não conseguia falar. O choque de ver o milagre realizado a deixara sem palavras. Sem deixar de fitar o copo, recostou-se na cadeira, afastando-se dele, como se fosse algo muito perigoso. Então, lentamente, a srta. Mel ergueu a cabeça e olhou para Matilda. Viu que a criança estava pálida como um fantasma, trêmula, com os olhos vidrados fixos à sua frente, mas sem enxergar nada. Todo o seu rosto parecia transfigurado. Com os olhos redondos e brilhantes, ela permanecia ali sentada, sem abrir a boca, muito bonita, em meio a uma névoa de silêncio.

A srta. Mel esperou, também um pouco trêmula, observando a menina, que voltava lentamente à consciência. De repente, o rosto de Matilda pareceu *ligar-se*, adquirindo uma aparência de calma quase seráfica.

– Estou bem – ela disse, sorrindo. – Estou muito bem, srta. Mel. Não se assuste.

– Você parecia tão distante – a srta. Mel murmurou, impressionada.

– Ah, eu estava mesmo. Estava voando pelas estrelas com asas de prata – Matilda disse. – Foi maravilhoso.

A srta. Mel ainda fitava a menina absolutamente assombrada, como se fosse A Criação, O Início do Mundo, A Primeira Manhã.

– Foi muito mais rápido desta vez – Matilda comentou, baixinho.

– Não é possível! – a srta. Mel exclamou. – É incrível! Simplesmente incrível!

A professora fechou os olhos por alguns instantes. Ao abri-los, já parecia recomposta.

– Quer tomar chá na minha casa? – a srta. Mel convidou.

– Ah, eu adoraria! – Matilda animou-se.

– Ótimo. Pegue suas coisas e eu a encontro lá fora daqui a alguns minutos.

– Não vai contar a ninguém sobre essa... essa coisa que eu fiz, não é, srta. Mel?

– Eu nem sonharia em fazer isso, Matilda – a professora lhe garantiu.

A casa da srta. Mel

A srta. Mel encontrou-se com Matilda fora dos portões da escola e as duas caminharam em silêncio pela rua principal. Passaram pela quitanda com sua vitrine cheia de maçãs e laranjas, pelo açougue com seus grandes pedaços de carne vermelha expostos no balcão e as galinhas penduradas, pelo banco, pela mercearia e pela loja de ferragens, e foram desembocar no outro lado da cidade, na estreita estrada rural, onde já não circulavam pessoas, apenas alguns veículos.

Agora que estavam sozinhas, Matilda de repente se animou. Era como se dentro dela uma válvula tivesse sido aberta, liberando uma golfada de energia. Ela seguia aos pulos ao lado da srta. Mel, seus braços voavam como se ela quisesse espalhá-los pelo ar, e as palavras saíam de sua boca numa veloz enxurrada. Era srta. Mel isso, srta. Mel aquilo, "srta. Mel, acho sinceramente que eu conseguiria mover qualquer coisa no mundo, não só virar copos e coisas pequenas assim... acho que poderia virar mesas e cadeiras, srta. Mel... mesmo quando as pessoas estão sentadas nas cadeiras, acho que conseguiria empurrá-las para fora, e coisas maiores também, muito maiores do que cadeiras e mesas... só preciso de um tempo para meus olhos ficarem fortes e depois consigo empurrar tudo, qualquer coisa, desde que eu olhe com firmeza... tenho que olhar com muita firmeza, srta. Mel, com muita firmeza mesmo, e então sinto tudo acontecendo atrás dos meus olhos, e meus olhos ficam quentes como se estivessem queimando, mas eu não me importo nem um pouco, e, srta. Mel..."

– Calma, menina, vamos com calma! – disse a srta. Mel. – Não vamos nos entusiasmar tão depressa.

– Mas a senhora também acha que é *interessante*, não é, srta. Mel?

– Ah, sim, é muito *interessante* – a srta. Mel concordou. – É *mais* do que interessante. Mas precisamos agir com muito cuidado, Matilda.

– Por quê?

– Porque estamos lidando com forças misteriosas, sobre as quais não sabemos nada. Não acredito que sejam forças más. Elas podem ser boas. Podem ser até divinas. Mas, por via das dúvidas, vamos ter cuidado com elas.

Eram palavras sábias de uma pessoa experiente, mas Matilda estava animada demais para ver as coisas daquela maneira.

– Não entendo por que precisamos ter tanto cuidado – ela disse, ainda pulando em volta da professora.

– Estou tentando lhe mostrar que estamos lidando com o desconhecido – a srta. Mel repetiu, paciente. – É uma coisa inexplicável. A palavra certa para isso é fenômeno. É um fenômeno.

– Eu sou um fenômeno? – Matilda perguntou.

– É possível que seja. Mas eu prefiro que você não se considere nada especial por enquanto. Acho que poderíamos explorar esse fenômeno um pouco mais, só nós duas, mas sempre encarando as coisas com muito cuidado.

– Então a senhora quer que eu faça um pouco mais disso, srta. Mel?

– É o que estou tentada a sugerir – a srta. Mel respondeu, cautelosa.

– Oba! – Matilda animou-se.

– Acho que estou muito mais atordoada com o que aconteceu do que você e estou tentando encontrar alguma explicação racional.

– Qual, por exemplo? – Matilda indagou.

– Por exemplo, estou me perguntando se isso teria a ver com o fato de você ser tão excepcionalmente precoce.

– O que quer dizer essa palavra?

– Uma criança precoce é aquela que demonstra uma inteligência surpreendente desde muito cedo – a srta. Mel explicou. – Você é uma criança muito precoce.

– Sou?

– Lógico que é. Você deve ter consciência disso. Repare em sua habilidade para a leitura. E para a matemática.

– É, talvez a senhora tenha razão – Matilda disse.

A srta. Mel ficou maravilhada ao perceber que a menina não parecia julgar-se mais importante por causa daquilo.

– Fico imaginando se essa súbita capacidade de mover objetos sem tocá-los teria algo a ver com sua capacidade mental.

– Quer dizer que pode não haver espaço suficiente na minha cabeça para todo o cérebro e, então, alguma coisa tem que forçar uma saída?

– Não foi exatamente isso que eu quis dizer – a srta. Mel respondeu, sorrindo. – Mas, seja como for, repito que precisamos ter muito cuidado. Não me esqueci do brilho estranho e distante em seu rosto depois que você derrubou o copo na minha frente.

– A senhora acha que isso poderia fazer algum mal para mim? É isso que está pensando, srta. Mel?

– Você sentiu uma coisa muito esquisita, não foi?

– Eu me senti ótima – Matilda garantiu. – Por um minuto ou dois, eu voei para mais longe que as estrelas, com asas de prata. Eu lhe disse isso. E vou lhe contar mais uma coisa, srta. Mel: foi mais fácil na segunda vez. Muito mais fácil. Acho que é como qualquer outra coisa: quanto mais a gente pratica, mais fácil fica.

A srta. Mel estava caminhando devagar, para Matilda poder acompanhá-la sem correr demais. A atmosfera era muito tranquila naquela estradinha, agora que a cidade ficara para trás. Era uma tarde dourada de outono. Havia amoras nas sebes e os frutos dos pilriteiros amadureciam para servir de alimento aos passarinhos quando o frio do inverno chegasse. Árvores altas surgiam aqui e ali, nos dois lados da estrada. Eram carvalhos, plátanos e, ocasionalmente, uma ou outra nogueira. A srta. Mel, querendo mudar um pouco de assunto, disse a Matilda os nomes de todas essas plantas e a ensinou a reconhecê-las pela

forma das folhas e pelo tipo de casca de seus troncos. Matilda absorveu as novas informações e as armazenou cuidadosamente na cabeça.

Finalmente chegaram a uma abertura na sebe, do lado esquerdo da estrada, onde havia um portão de madeira.

– É por aqui – a srta. Mel indicou. Ela abriu o portão, passou por ele junto com Matilda e tornou a fechá-lo. Tomaram um caminho estreito, que era apenas uma trilha formada por rodas de carroça. O caminho era ladeado por duas sebes altas de aveleiras, e entre os ramos distinguiam-se os cachos de frutinhas marrons. A srta. Mel explicou que os esquilos logo viriam para colhê-las e armazená-las com cuidado, para terem alimento durante os meses frios que se seguiriam.

– A senhora mora por aqui? – Matilda indagou, surpresa.

– Moro – a srta. Mel respondeu, sem dizer mais nada.

Matilda nunca se detivera para imaginar onde seria a casa da srta. Mel. Sempre a vira simplesmente como uma professora, uma pessoa que aparecia do nada, dava aula na escola e sumia de novo. *Quem de nós*, Matilda pensou, *algum dia parou para pensar para onde os professores vão quando as aulas terminam? Nunca nos perguntamos se moram sozinhos, ou se moram com a mãe, com alguma irmã ou com o marido!*

– A senhora mora sozinha, srta. Mel? – Matilda perguntou.

– Moro – a srta. Mel respondeu baixinho. – Totalmente sozinha.

Elas andavam pelos sulcos profundos na lama endurecida pelo sol, e era preciso ter cuidado para não torcer o pé. Alguns passarinhos saltitavam em torno das sebes de aveleira.

– Moro numa casinha de lavradores – a srta. Mel avisou. – Não espere muito dela. Estamos quase chegando.

Encontraram um portãozinho verde, meio enfurnado na sebe, do lado direito, quase escondido pelos ramos crescidos das aveleiras. A srta. Mel parou, com uma das mãos sobre o portão.

– Chegamos. É aqui que eu moro.

Matilda viu uma trilha estreita de terra que levava a uma casinha minúscula de tijolos vermelhos. Era tão pequena que parecia mais uma casa de bonecas do que de gente. Os tijolos eram velhos, gastos e de um vermelho muito pálido. Tinha um telhado cinzento, uma pequena chaminé

e duas janelas diminutas na frente. Cada janela não era maior do que uma folha de jornal e, evidentemente, não havia escadas. Dos dois lados da trilha viam-se moitas desordenadas de urtigas, de amoras e de capim marrom. Um enorme carvalho estendia sua sombra sobre a casa. Seus ramos gigantescos pareciam abraçar e envolver a pequena construção, como que para escondê-la do resto do mundo.

A srta. Mel, com a mão no portão, que ela ainda não tinha aberto, disse a Matilda:

– Certa vez um poeta chamado Dylan Thomas escreveu algumas linhas de que eu me lembro sempre que chego aqui.

Matilda esperou, e a srta. Mel, com a voz lenta e expressiva, começou a recitar o poema:

Jamais a minha menina, viajando para longe e perto
Na terra das histórias contadas ao pé da cama, adormecida em encantamento,
Teme ou acredita que o lobo em pele alva de cordeiro,
Pulando e balindo rouca e alegremente, possa saltar, minha querida,
De dentro de uma toca, sob as felpudas folhas no ano cheio de frescor,
Para devorar seu coração na casa tão bonita da floresta.

Houve um momento de silêncio, e Matilda, que nunca ouvira um grande poema romântico declamado em voz alta, comoveu-se.

– Parece música – ela murmurou.

– É música – a srta. Mel disse. E então, como se estivesse constrangida por ter revelado uma parte tão secreta de si mesma, abriu depressa o portão e caminhou até a casa.

Matilda ficou para trás. Estava com um pouco de medo daquele lugar. Parecia irreal, remoto e fantástico e era totalmente afastado do mundo. Era como uma ilustração de um livro de Grimm ou Hans Andersen. Era a casa onde o pobre lenhador vivia com Joãozinho e Maria, onde morava a avó de Chapeuzinho Vermelho, e também era a casa dos Sete Anões, dos Três Ursos e de todos os outros personagens. Parecia ter saído diretamente de um conto de fadas.

– Venha, querida – chamou a srta. Mel, e Matilda a seguiu pela trilha.

A porta da frente estava com a pintura verde descascada e não tinha fechadura. A srta. Mel simplesmente baixou o trinco, empurrou a porta e entrou. Embora não fosse alta, teve que inclinar-se um pouco para passar. Matilda seguiu atrás e viu-se numa espécie de túnel escuro e estreito.

– Venha até a cozinha me ajudar a fazer o chá – a srta. Mel disse, conduzindo-a ao longo do túnel até a cozinha, se é que aquilo podia ser chamado de cozinha. Não era muito maior do que um guarda-roupa grande. Havia uma pequena janela na parede do fundo, sobre uma pia onde não havia torneira. Presa numa outra parede, havia uma

prateleira, provavelmente para preparar comida, e, sobre ela, um único armário. Na prateleira via-se um fogareiro, uma panela e uma garrafa de leite, pela metade. O fogareiro era daqueles de acampamento que a gente enche de parafina, acende em cima e começa a bombear para dar pressão à chama.

– Pegue um pouco de água enquanto eu acendo o fogareiro – a srta. Mel pediu. – O poço é nos fundos. Aqui está o balde. No poço você vai encontrar uma corda. É só amarrar o balde na ponta da corda e baixá-lo, mas cuidado para não cair lá dentro!

Matilda, mais confusa do que nunca, pegou o balde e carregou-o até o quintal. O poço tinha um telhadinho de madeira e um dispositivo simples para baixar e içar o balde. E lá estava a corda, balançando dentro do buraco escuro e sem fim. Matilda puxou a corda e a amarrou na alça do balde. Depois, baixou o balde até ouvi-lo chegar à água e sentir a corda ficar mais frouxa. Então fez o balde subir e, para seu espanto, ele estava cheio de água!

– Isto chega? – Matilda perguntou, levando o balde para dentro.

– Está ótimo – a srta. Mel respondeu. – Aposto que você nunca tinha feito isso antes.

– Nunca – Matilda confirmou. – É divertido. Como a senhora consegue água suficiente para tomar banho?

– Eu não tomo banho como você. Pego um balde de água, esquento-o no fogareiro, tiro a roupa e me lavo com uma esponja.

– É verdade? – Matilda espantou-se.

– É, sim. Todas as pessoas pobres da Inglaterra se lavavam assim há até bem pouco tempo. E a maioria nem tinha fogareiro. A água era aquecida na lareira.

– A senhora é pobre, srta. Mel?

– Sou. Muito. Bom esse fogareiro, não acha?

A chama azul brilhava e a água na panela já estava começando a borbulhar. A srta. Mel pegou uma chaleira no armário e colocou algumas folhas de chá dentro. Também pegou metade de um pão integral, cortou duas fatias finas e passou um pouco de margarina em cada uma delas.

Margarina, pensou Matilda. *Ela deve ser pobre mesmo.*

A srta. Mel arrumou sobre uma bandeja duas xícaras, a chaleira fumegante, a meia garrafa de leite e um prato com as duas fatias de pão.

– Desculpe, mas não tenho açúcar. Nunca uso – ela disse.

– Tudo bem – Matilda disse. Em sua sabedoria, a menina parecia perceber a delicadeza da situação e tomava muito cuidado para não dizer alguma coisa que pudesse deixar sua anfitriã embaraçada.

– Vamos para a sala – a srta. Mel sugeriu, pegando a bandeja e dirigindo-se ao pequeno túnel escuro que levava ao aposento da frente. Matilda a seguiu, mas, ao entrar na suposta sala de estar, parou e olhou em volta, totalmente aturdida. Era um aposento pequeno, quadrado e vazio como uma cela de prisão. A pálida luz do dia penetrava por uma única janelinha sem cortinas, na parede da frente. Os únicos objetos que havia ali eram dois caixotes de madeira virados de cabeça para baixo que serviam de cadeiras e um terceiro que fazia as vezes de mesa. Era só isso. Não havia quadros nas paredes nem tapetes sobre as tábuas toscas de madeira do piso cheio de frestas. O teto era tão baixo que, com um pulo, Matilda quase conseguia tocá-lo com as pontas dos dedos. As paredes eram brancas, mas não pareciam pintadas com tinta. Matilda esfregou a palma da mão em uma delas e um pó branco saiu em sua pele. Era cal, o revestimento barato que se usava em estábulos e galinheiros.

Matilda estava estupefata. Então era ali que morava sua professora, tão asseada e bem-vestida? Aquilo era tudo de que ela usufruía ao voltar da escola após um dia de trabalho? Era inacreditável. E por quê? Sem dúvida havia alguma coisa estranha naquela história.

A srta. Mel colocou a bandeja sobre um dos caixotes.

– Sente-se, querida, e vamos tomar uma boa xícara de chá. Sirva-se de pão. As duas fatias são para você. Nunca como nada quando chego em casa. Trato de me alimentar bem no almoço na escola e, assim, consigo aguentar até a manhã seguinte.

Matilda sentou-se num dos caixotes e, mais por educação do que por outra coisa, pegou uma das fatias de pão e começou a comer. Em casa, estaria comendo torradas com geleia de morango e, provavelmente, um pedaço de bolo. No entanto, estava achando aquilo muito mais interessante. Havia algum mistério naquela casa, um grande mistério, sem dúvida, e Matilda estava ansiosa para descobrir o que era.

A srta. Mel serviu o chá e acrescentou um pouco de leite nas duas xícaras. Não parecia nem um pouco constrangida por estar sentada num caixote, numa sala vazia, bebendo chá numa xícara equilibrada sobre os joelhos.

– Sabe, estive pensando muito no que você fez com aquele copo. Você deve ter consciência de que recebeu um grande poder.

– Tenho, sim, srta. Mel – Matilda respondeu, mastigando seu pão com margarina.

– Que eu saiba, ninguém mais na história do mundo foi capaz de fazer um objeto mover-se sem tocá-lo e sem receber nenhuma ajuda externa.

Matilda fez um sinal afirmativo com a cabeça, mas não disse nada.

– O mais fascinante seria descobrir o verdadeiro limite desse seu poder – a srta. Mel prosseguiu. – Ah, sei que você acha que pode mover qualquer coisa, mas tenho minhas dúvidas quanto a isso.

– Eu gostaria de tentar com alguma coisa grande – Matilda disse.

– E quanto à distância? – a srta. Mel perguntou. – Será que você sempre tem que estar perto do objeto que vai mover?

– Não sei – Matilda admitiu. – Mas seria interessante descobrir.

A história da srta. Mel

– Não precisamos ter pressa – a srta. Mel disse. – Vamos tomar mais um pouco de chá. E coma a outra fatia de pão. Você deve estar com fome.

Matilda pegou a segunda fatia de pão e foi comendo devagar. Até que estava bom.

– Srta. Mel – ela perguntou de repente –, a senhora ganha muito mal na escola?

A srta. Mel levantou os olhos depressa.

– Nem tanto. Ganho mais ou menos a mesma coisa que os outros.

– Mas deve ser muito pouco, se a senhora é tão pobre assim – Matilda comentou. – Todos os professores vivem deste jeito, sem mobília, sem fogão na cozinha e sem banheiro?

– Não – a srta. Mel respondeu, um pouco ríspida. – Eu sou uma exceção.

– A senhora deve gostar de viver de maneira bem simples – Matilda disse, tentando sondar um pouco mais. – A limpeza da casa deve ser muito mais fácil, sem móveis para polir e todos aqueles enfeitinhos para tirar o pó todos os dias. E como a senhora não tem geladeira, não tem que comprar ovos, maionese, sorvetes e todas essas bugigangas para enchê-la. Deve ser muito mais rápido fazer as compras.

Nesse momento, Matilda reparou que a expressão da srta. Mel tornara-se tensa e estranha. Ela estava com o corpo rígido, os ombros erguidos, os lábios apertados. Segurava a xícara de chá com as duas mãos e fitava o líquido escuro, como se estivesse procurando uma maneira de responder àquelas perguntas não tão inocentes.

Seguiu-se um silêncio longo e constrangedor. Num intervalo de trinta segundos, a atmosfera da pequena sala havia se alterado completamente, e parecia vibrar de tanto desconforto e tantos segredos.

– Desculpe por eu ter feito essas perguntas, srta. Mel – Matilda murmurou. – Não é da minha conta.

Mas a srta. Mel pareceu recobrar o ânimo. Sacudiu os ombros e colocou sua xícara cuidadosamente sobre a bandeja.

– Por que você não haveria de perguntar? Qualquer dia essas perguntas acabariam surgindo, mesmo. Você é inteligente demais para não ter estranhado. Talvez eu estivesse até *querendo* que você perguntasse. Talvez por isso eu a tenha convidado para vir aqui. Na verdade, você é a primeira visita que recebo desde que me mudei para esta casa, há dois anos.

Matilda não disse nada. Sentia a tensão aumentando dentro da sala.

– Você é muito madura para a sua idade, minha querida – a srta. Mel prosseguiu. – Isso até me espanta. Embora você pareça uma criança, na verdade não é, pois tem a mente e a capacidade de argumentação de um adulto. Talvez possamos chamá-la de uma criança adulta.

Matilda continuava em silêncio, esperando pelo que viria em seguida.

– Até hoje, sempre achei impossível conversar com alguém sobre meus problemas – a srta. Mel continuou. – Eu me sentia constrangida e, na verdade, nem tinha coragem. Toda a coragem que eu tinha me foi tirada quando eu era pequena. Mas agora... de repente estou sentindo uma vontade gigantesca de contar tudo para alguém. Sei que você é apenas uma menininha, mas existe algum tipo de magia em você. Vi isso com meus próprios olhos.

Matilda ficou atenta. A voz que ouvia certamente estava gritando por socorro. Devia ser isso. Certamente era isso.

– Tome um pouco mais de chá – a srta. Mel ofereceu. – Acho que ainda tem um pouquinho.

Matilda aceitou. A srta. Mel despejou o resto do chá nas duas xícaras e acrescentou leite. Depois, novamente segurando sua xícara com as duas mãos, bebeu em silêncio. Passou-se um longo tempo até ela voltar a falar.

– Posso lhe contar uma história?

– Pode, sim – Matilda respondeu.

– Tenho vinte e três anos e, quando nasci, meu pai era médico nesta cidade – a srta. Mel começou. – Tínhamos uma casa grande, de tijolos aparentes. Ela fica entre as árvores, atrás das colinas.

Acho que você não a conhece.

Matilda permaneceu em silêncio.

– Eu nasci lá. Então aconteceu a primeira tragédia. Minha mãe morreu quando eu tinha dois anos. Meu pai, um médico muito ocupado, teve de arrumar alguém para cuidar da casa e de mim. Então ele convidou a irmã solteira de minha mãe, minha tia, para morar conosco. Ela aceitou e mudou-se para nossa casa.

Matilda ouvia atentamente.

– Quantos anos tinha sua tia nessa época? – ela indagou.

– Até que ela era jovem. Acho que tinha uns trinta anos. Mas eu a odiei desde o primeiro momento. Sentia muita falta da minha mãe, e minha tia não era boa comigo. Meu pai não sabia disso, porque quase nunca estava em casa.

Além disso, na frente dele minha tia se comportava de modo diferente. – A srta. Mel fez uma pausa para tomar um gole de chá. – Nem sei por que estou lhe contando tudo isso.

– Continue – Matilda pediu –, por favor.

– Bem... depois veio a segunda tragédia. Quando eu tinha cinco anos, meu pai morreu de repente. Um dia ele estava ali, bem, e no dia seguinte já havia partido. Então eu fiquei sozinha com minha tia. Ela passou a ser minha tutora, perante a lei. Tinha todos os poderes de mãe sobre mim. De certo modo, ela acabou se tornando a proprietária da casa.

– Como seu pai morreu?

– É interessante você perguntar isso – a srta. Mel disse. – Na época eu era muito pequena para questionar sua morte, mas mais tarde descobri que havia um grande mistério em torno dela.

– As pessoas não sabiam como ele tinha morrido?

– Bem... não exatamente – a srta. Mel respondeu, hesitante. – É que ninguém acreditava que ele pudesse fazer aquilo. Ele era um homem tão equilibrado e sensato...

– Aquilo o quê? – Matilda perguntou.

– Cometer suicídio.

Matilda ficou chocada.

– Ele fez isso?

– *Aparentemente* sim – a srta. Mel disse. – Mas quem pode saber? – Ela deu de ombros e virou-se para a pequena janela.

– Sei o que a senhora está pensando – Matilda comentou. – Está pensando que sua tia o matou, fazendo parecer que era suicídio.

– Eu não estou pensando nada – a srta. Mel declarou. – Nunca se deve pensar esse tipo de coisa sem provas.

A salinha ficou em silêncio. Matilda notou que as mãos da professora tremiam ligeiramente em torno da xícara.

– O que aconteceu depois disso? O que aconteceu quando a senhora ficou sozinha com sua tia? Ela a tratava bem?

– Bem? Ela era um demônio. Assim que meu pai saiu do caminho, ela se tornou um verdadeiro terror. Minha vida era um pesadelo.

– O que ela fazia?

– Não quero falar sobre isso. É horrível. Acabei ficando com tanto medo dela, que começava a tremer toda vez que ela aparecia. Eu nunca tive uma personalidade forte como a sua. Sempre fui tímida e reservada.

– A senhora não tinha outros parentes? – Matilda perguntou. – Nenhum tio, tia ou avó que fossem visitá-la?

– Ninguém que eu conhecesse. Os que não estavam mortos tinham ido para a Austrália. Até hoje nenhum deles apareceu.

– Então a senhora cresceu naquela casa, sozinha com sua tia. Mas a senhora deve ter ido para a escola.

– É verdade. Fui para a mesma escola onde você está agora. Mas eu vivia dentro de casa. – A srta. Mel fez uma pausa, baixando os olhos para a xícara vazia. – Assim, ao longo dos anos, eu me tornei tão intimidada e dominada por aquele monstro que era minha tia, que, quando ela me dava uma ordem, qualquer que fosse, eu obedecia imediatamente. Aos dez anos de idade, eu já era empregada dela. Fazia todo o trabalho de casa sozinha. Arrumava a cama dela, lavava e passava, preparava as refeições. Eu aprendi a fazer tudo.

– Mas a senhora não reclamava para *ninguém*? – Matilda espantou-se.

– Para quem? Além do mais, eu vivia tão apavorada que não tinha coragem de reclamar.

Como eu disse, ela me fez de empregada.

– Ela batia na senhora?

– Prefiro não entrar em detalhes.

– Que *coisa horrível*! – Matilda indignou-se. – A senhora chorava muito?

– Só quando estava sozinha. Era proibido chorar na frente dela. Mas eu vivia apavorada.

– O que aconteceu quando a senhora terminou a escola?

– Fui uma aluna brilhante. Poderia ter entrado facilmente numa universidade. Mas minha tia não queria nem ouvir falar disso.

– Por que não, srta. Mel?

– Porque ela precisava de mim para cuidar da casa.

– E como a senhora virou professora?

– Há um curso de magistério em Reading, que fica a quarenta minutos de ônibus daqui. Minha tia me deu permissão para frequentar o curso sob a condição de que eu voltasse direto para casa toda tarde para lavar e passar roupa, limpar a casa e fazer o jantar.

– Quantos anos a senhora tinha?

– Quando comecei a cursar o magistério, eu tinha dezoito.

– A senhora não podia fazer as malas e sair de casa?

– Para isso eu precisava arrumar um emprego. E na época eu era tão dominada pela minha tia que não ousava nem pensar nisso. Você não sabe o que é ser controlada por uma pessoa de personalidade muito forte. A gente vira um fantoche. Pois é. Essa é a triste história de minha vida. Acho que já falei demais.

– Por favor, não pare – Matilda pediu. – A senhora ainda não terminou. Como conseguiu se livrar dela e vir morar nesta casinha?

– Ah, disso eu me orgulho – a srta. Mel disse.

– Então conte como foi.

– Bem, quando consegui o emprego de professora, minha tia me avisou que eu lhe devia muito dinheiro. E eu quis saber por quê. Ela falou: "Porque durante esses anos eu alimentei você, comprei seus sapatos e suas roupas!" Ela disse que minha dívida chegava a milhares de libras e que, para pagá-la, eu deveria entregar meu salário a ela durante dez anos. "Para seus gastos, eu lhe darei uma libra por semana, nada mais do que isso", ela me falou. Minha tia até conversou com a direção da escola, para que meu salário fosse creditado diretamente na conta dela. Tive que assinar um papel, concordando com tudo.

– A senhora não devia ter feito isso. Seu salário era sua chance de liberdade – Matilda comentou.

– Eu sei. Mas eu tinha passado quase toda a minha vida sendo explorada por ela e não tive coragem de dizer não. Ainda morria de medo de que ela me fizesse algum mal imenso.

– Como foi que a senhora conseguiu escapar?

– Ah, foi há dois anos – a srta. Mel disse, sorrindo pela primeira vez. – Foi minha grande vitória.

– Então me conte, por favor – Matilda pediu.

– Eu costumava levantar muito cedo e sair para caminhar enquanto minha tia ainda estava dormindo. Um dia, vi esta casinha. Ela estava vazia. Descobri que o dono era um fazendeiro e fui falar com ele. Fazendeiros também levantam muito cedo, e ele já estava tirando leite das vacas. Então eu perguntei se poderia alugar a casa. "Você não pode morar lá!", ele disse. "Não tem banheiro, nem água corrente, nem nada!" "Mas eu quero", insisti. "Sou uma romântica. Fiquei apaixonada por ela. Por favor, alugue aquela casinha para mim." "Você deve ter perdido o juízo", ele falou, "mas, se quer tanto assim, então é sua. O aluguel é de dez centavos por semana." "Aqui tem um mês adiantado", eu disse, entregando-lhe quarenta centavos e agradecendo muito.

– Que fantástico! – Matilda exclamou. – Então, de repente, a senhora tinha uma casa só sua! Mas como teve coragem de contar à sua tia?

– Foi difícil – a srta. Mel disse. – Mas decidi que nada mais me impediria de prosseguir. Uma noite, depois de preparar o jantar de minha tia, subi para o quarto, juntei numa caixa de papelão as poucas coisas que tinha, voltei a descer e avisei que estava indo embora. "Eu aluguei uma casa", eu disse. Minha tia explodiu. "Alugou uma casa?", ela gritou. "Como pode alugar uma casa com uma libra por semana?" "Pois eu aluguei", repeti, corajosa. "E como vai fazer para comprar comida?", ela perguntou. "Vou dar um jeito", retruquei, e saí depressa pela porta da frente.

– Ah, muito bem! – Matilda aplaudiu. – Então, finalmente, a senhora estava livre!

– Finalmente estava livre – a srta. Mel confirmou. – Não dá nem para contar como foi maravilhoso.

– Mas a senhora conseguiu mesmo viver aqui com apenas uma libra por semana? – Matilda indagou.

– Lógico que sim! Pago dez centavos de aluguel e o resto é suficiente para comprar parafina para o fogareiro e para a lamparina e um pouco de leite, chá, pão e margarina Não preciso de mais nada. Como eu lhe disse, trato de comer bastante no almoço servido na escola.

Matilda olhou para ela com admiração. Que coragem a srta. Mel tivera! De repente, ela se tornara uma heroína aos olhos de sua pequena aluna.

– Não faz muito frio no inverno? – Matilda perguntou.

– Tenho meu fogareiro. Você ficaria admirada se visse como consigo tornar este lugar aconchegante

– A senhora tem cama, srta. Mel?

– Não – a srta. Mel respondeu, sorrindo. – Mas dizem que é muito saudável dormir em superfície dura.

Naquele momento, Matilda conseguiu enxergar a situação com muita nitidez. A srta. Mel precisava de ajuda. Não podia continuar vivendo daquele jeito para sempre.

– A senhora viveria muito melhor se largasse seu trabalho e pedisse o seguro-desemprego – Matilda comentou.

– Eu nunca faria isso. Adoro dar aulas.

– Essa tia horrorosa... Ela ainda está morando na casa que era de seu pai?

– Está – a srta. Mel confirmou. – E ela não tem mais que uns cinquenta anos, ainda vai viver muito tempo.

– A senhora acha que seu pai queria, de fato, que a casa ficasse para ela?

– Lógico que não queria – a srta. Mel garantiu. – Os pais em geral dão ao tutor o direito de ocupar a casa por um certo tempo, mas deixam-na como herança para os filhos. Quando eles crescem, tornam-se os proprietários.

– Mas então a casa é sua! – Matilda exclamou.

– O testamento de meu pai nunca foi encontrado. Parece até que alguém o destruiu.

– Não é difícil adivinhar quem pode ter sido.

– Não mesmo.

– Mas, se não há testamento, srta. Mel, é lógico que a casa passa automaticamente para a senhora, que é a parente mais próxima.

– Eu sei. Mas minha tia apresentou um papel, supostamente escrito pelo meu pai, dizendo que ele deixava a casa para a cunhada como recompensa pela sua gentileza de tomar conta de mim. Não tenho a menor dúvida de que esse documento é falso, mas não há como provar.

– Por que a senhora não tenta? Poderia contratar um bom advogado e brigar pelos seus direitos!

– Não tenho dinheiro para isso, Matilda. Além do mais, minha tia é uma figura muito respeitada na comunidade. Ela tem muita influência.

– Quem é ela? – Matilda indagou.

A srta. Mel hesitou por um momento. Depois, respondeu baixinho:

– A sra. Taurino.

Os nomes

– A sra. Taurino! – Matilda gritou, levantando-se de um pulo. – Quer dizer que *ela* é a sua tia? *Ela* criou a senhora?

– Pois é – a srta. Mel confirmou.

– Não me admira que a senhora vivesse apavorada! Outro dia eu a vi agarrar aquela menina pelas tranças e jogá-la por cima da cerca do pátio!

– Você não viu nada. Depois que meu pai morreu, quando eu tinha cinco anos e meio, ela me fazia tomar banho sozinha. Mas, se ela aparecesse e achasse que eu não tinha me lavado direito, enfiava minha cabeça dentro da água e ficava segurando. Mas não vamos começar a lembrar tudo o que ela costumava fazer. Não vai ajudar em nada.

– É, tem razão – Matilda concordou.

– Viemos aqui para falar sobre você e só fico falando de mim. Pareço uma tonta. Estou muito mais interessada em saber o que você é capaz de fazer com esses seus olhinhos incríveis.

– Sou capaz de mover coisas – Matilda disse. – Isso eu sei. Sou capaz de empurrar coisas.

– O que você acha de fazermos algumas experiências, com cuidado, para ver até que ponto vai essa sua capacidade?

– Se a senhora não se importa, srta. Mel, prefiro não fazer isso agora – Matilda disse, para surpresa da professora. – Quero ir para casa e pensar sobre todas as coisas que ouvi esta tarde.

A srta. Mel levantou-se no mesmo instante.

– Certo. Já segurei você aqui por muito tempo. Sua mãe deve estar preocupada.

– Ah, ela nunca se preocupa – Matilda lhe garantiu, sorrindo. – Mas agora eu gostaria de ir para casa, se a senhora não se incomodar.

– Então vamos. Desculpe por esse chá tão sem graça que eu lhe ofereci.

– Não estava sem graça. Eu adorei.

As duas caminharam juntas até a casa de Matilda, em completo silêncio. A srta. Mel sentiu que a menina preferia que fosse assim. Ela parecia tão perdida em pensamentos, que mal olhava por onde estava andando.

– Acho melhor você esquecer tudo o que eu lhe contei – a srta. Mel disse, quando chegaram ao portão da casa de Matilda.

– Isso eu não posso prometer – Matilda replicou. – Mas prometo que nunca mais vou falar sobre esse assunto com ninguém, nem com a senhora.

– Obrigada, Matilda.

– Mas não posso prometer que vou parar de pensar nisso, srta. Mel. Pensei durante todo o caminho e acho que comecei a ter uma ideia.

– Não faça nada, Matilda. Por favor, esqueça tudo isso.

– Eu só queria perguntar mais três coisas antes de deixar de falar sobre isso. Por favor, a senhora vai me responder, não é?

A srta. Mel sorriu. Era impressionante! Aquela menininha parecia estar, de repente, assumindo seus problemas, e com um ar de autoridade indiscutível.

– Bem, depende das perguntas.

– Como a sra. Taurino chamava *seu pai* quando eles estavam em casa?

– Ela o chamava de Magnus. Era o primeiro nome dele.

– E como seu pai chamava a sra. Taurino?

– O nome dela é Agatha. Acho que era assim que ele a chamava.

– E como seu pai e a sra. Taurino chamavam *a senhora* dentro de casa?

– Eles me chamavam de Jenni.

Matilda ouviu as respostas atentamente.

– Vamos ver se entendi tudo direitinho – ela disse. – Dentro de casa, seu pai era Magnus, a sra. Taurino era Agatha e a senhora era Jenni. Certo?

– Certo – a srta. Mel confirmou.

– Obrigada – Matilda disse. – E agora não vou mais tocar nesse assunto.

A srta. Mel gostaria de saber o que estava passando pela cabeça daquela criança.

– Não vá fazer nenhuma bobagem – ela recomendou.

Matilda riu, virou-se e correu para a porta de sua casa, gritando pelo caminho:

– Até logo, srta. Mel! Muito obrigada pelo chá!

O treino

Matilda encontrou a casa vazia, como de costume. O pai ainda não voltara do trabalho, a mãe ainda não voltara do bingo e o irmão devia estar num lugar qualquer. Ela foi direto para a sala e abriu a gaveta da cômoda onde o pai guardava uma caixa de charutos. Pegou um deles, levou-o para o quarto e fechou a porta.

Agora vamos ao treino, ela disse a si mesma. *Não vai ser fácil, mas sei que vou conseguir.*

Seu plano para ajudar a srta. Mel começava a tomar forma em sua cabeça. Já o havia montado em quase todos os detalhes, mas, no final das contas, tudo dependeria de ela ser capaz de fazer uma coisa muito especial com o poder de seus olhos. Matilda sabia que não conseguiria na primeira tentativa, mas confiava que, com muito treino e esforço, acabaria tendo sucesso. O charuto era essencial. Talvez fosse um pouco mais grosso do que ela gostaria, mas o peso estava correto. Serviria bem para seu treino.

No quarto de Matilda havia uma pequena penteadeira, e sobre ela estavam uma escova de cabelos, um pente e dois livros da biblioteca. A menina empurrou esses objetos para um canto e colocou o charuto no meio da penteadeira. Depois se afastou e sentou na beirada da cama, a uns três metros do charuto.

Matilda acomodou-se e começou a se concentrar. Logo sentiu a eletricidade fluir dentro de sua cabeça e se concentrar atrás dos olhos. Em seguida seus olhos ficaram quentes e milhões de minúsculas mãos invisíveis começaram a se lançar como faíscas na direção do charuto. "Mova-se!", ela murmurou, e, para sua grande surpresa, quase imediatamente o charuto, com sua argola de papel vermelha e dourada, rolou sobre a superfície da penteadeira e caiu no tapete.

Matilda sorriu. Era bom fazer aquilo. Tinha a impressão de que as faíscas giravam dentro de sua cabeça e saíam pelos olhos como raios. Era uma sensação de poder quase etérea. E como tinha sido rápido daquela vez! Como tinha sido fácil!

Ela atravessou o quarto, pegou o charuto e tornou a colocá-lo sobre a penteadeira.

Agora, vamos para a parte mais difícil, a menina pensou. *Mas, se eu tenho o poder de* empurrar, *por que não teria o poder de* levantar? *É* fundamental *que eu aprenda a levantar esse charuto.* Preciso *aprender a levantá-lo e mantê-lo no ar. Afinal, um charuto não é um objeto muito pesado.*

Matilda voltou a sentar-se na beirada da cama e começou novamente. Agora já era fácil concentrar todo o poder atrás dos olhos. Era como puxar um gatilho dentro do cérebro. "*Suba!*", ela murmurou. "*Suba! Suba!*"

Primeiro, o charuto começou a rolar. Depois, sob a intensa concentração de Matilda, uma de suas pontas ergueu-se lentamente, cerca de dois centímetros acima da superfície. Com um esforço colossal, Matilda conseguiu mantê-lo assim por uns dez segundos. Depois, o charuto tornou a cair.

– Puxa! – ela exclamou. – Estou conseguindo! Está começando a dar certo!

Matilda treinou durante uma hora. No fim, já tinha conseguido erguer o charuto inteiro cerca de quinze centímetros acima da superfície e mantê-lo no ar durante quase um minuto, apenas com o poder dos olhos. Então, exausta, ela caiu de costas na cama e adormeceu.

Foi assim que sua mãe a encontrou mais tarde, naquela noite.

– O que está acontecendo com você? – a mãe perguntou, acordando-a. – Está doente?

– Puxa – Matilda murmurou, sentando-se e olhando em volta. – Não. Eu estou bem. Fiquei cansada, só isso.

A partir de então, todos os dias depois da aula Matilda fechava-se no quarto e treinava com o charuto. E tudo foi dando certo, perfeitamente certo. Seis dias depois, na quarta-feira seguinte, à noite, ela estava conseguindo não só erguer o charuto, como também fazê-lo deslocar-se no ar da maneira como desejasse.

– Consegui! – ela gritou. – Consigo erguer o charuto no ar e movimentá-lo para todos os lados, do jeito que eu quiser, só com o poder dos meus olhos.

Agora era só colocar seu grande plano em ação.

O terceiro milagre

O dia seguinte era quinta-feira. Como todos sabiam, a diretora daria a primeira aula da tarde na classe da srta. Mel.

– Um ou dois de vocês não se divertiram muito na última aula da sra. Taurino – a srta. Mel comentou aquela manhã. – Por isso, hoje vamos todos tentar nos manter especialmente atentos e espertos. Como vão suas orelhas, Eric, depois do último encontro com a sra. Taurino?

– Elas espicharam – Eric respondeu. – Minha mãe garante que estão maiores do que antes.

– E você, Rupert? Fico satisfeita por ver que não perdeu os cabelos depois da última quinta-feira.

– Minha cabeça ficou bem dolorida depois – Rupert disse.

– E você, Nigel, por favor, tente não bancar o espertinho com a diretora hoje – a srta. Mel recomendou. – Você foi muito atrevido na semana passada.

– Odeio aquela mulher – Nigel falou.

– Tente não deixar isso tão evidente – a srta. Mel aconselhou. – Não dá certo. Ela é uma mulher muito forte. Seus músculos são rijos como cordas de aço.

– Eu queria ser adulto – Nigel declarou – para dar uma boa surra nela.

– Acho que você não conseguiria – a srta. Mel disse. – Ninguém nunca levou a melhor com ela.

– O que ela vai perguntar para a gente hoje? – uma menina perguntou.

– Quase com certeza a tabuada do três. Era a matéria prevista para esta semana. É bom que estejam todos afiados.

A hora do almoço chegou e passou.

Depois do almoço, a classe voltou a se reunir. A srta. Mel postou-se num dos lados da sala. Todos ficaram em silêncio, apreensivos, esperando. Então, como um monstro arrasador, a enorme sra. Taurino entrou na classe com suas calças verdes de elástico e o casacão de tecido rústico. Foi direto para o jarro de água, ergueu-o pela alça e examinou o conteúdo.

– Fico contente por ver que desta vez não há nenhuma criatura repugnante na minha água – ela disse. – Caso contrário, aconteceria uma coisa muito desagradável com todos os membros desta classe. Inclusive com você, Mel.

Todos permaneceram em silêncio e muito tensos. Agora que conheciam um pouco melhor aquela fera, não queriam se arriscar.

– Pois bem – trovejou a diretora. – Vamos ver se vocês aprenderam a tabuada do três. Ou melhor, vamos ver que estragos a srta. Mel fez ao lhes ensinar a tabuada do três.

A sra. Taurino estava parada diante da classe, com as pernas afastadas, as mãos nos quadris, zombando da srta. Mel, que continuava quieta no seu canto.

Matilda, imóvel em sua carteira na segunda fila, observava tudo muito atentamente.

– Você! – a sra. Taurino gritou, apontando com o dedo do tamanho de um pau de macarrão para um menino chamado Wilfred, sentado no canto direito da primeira fila. – Fique de pé!

Wilfred levantou-se.

– Diga a tabuada do três de trás pra frente! – a sra. Taurino ordenou.

– De trás pra frente? – gaguejou Wilfred. – Mas eu não aprendi de trás pra frente.

– Aí está! – a sra. Taurino gritou, triunfante. – Ela não lhes ensinou nada! Srta. Mel, por que não ensinou absolutamente nada a seus alunos na última semana?

– Isso não é verdade, Diretora – a srta. Mel defendeu-se. – Todos aprenderam a tabuada do três. Mas não vejo razão para aprenderem a tabuada de trás pra frente. Não há razão para aprender qualquer coisa que seja de trás pra frente. O importante na vida, Diretora, é avançar. Eu me arrisco a perguntar se até mesmo a senhora, por exemplo, sabe soletrar uma palavra simples como *errado* de trás pra frente, sem hesitar. Duvido!

– Não seja impertinente comigo, Mel! – a sra. Taurino a alertou, e voltou-se novamente para o infeliz Wilfred: –

Pois bem, meu menino. Responda: tenho sete maçãs, sete laranjas e sete bananas. Quantas frutas eu tenho ao todo? Depressa! Vamos logo, quero a resposta!

– Mas isso é *adição*! – Wilfred protestou. – Não é a tabuada do três.

– Seu grandessíssimo idiota! – gritou a diretora. – Seu piolho fedorento! Seu fungo desprezível! É a tabuada do três, sim! Você tem três conjuntos separados de frutas e cada conjunto tem sete elementos. Três vezes sete são vinte e um. Não consegue perceber isso, seu rato de esgoto? Vou lhe dar mais uma chance. Tenho oito burros, oito mulas e oito asnos como você. Qual é o total? Responda depressa!

O pobre Wilfred estava tonto.

– Espere! – ele gritou. – Espere, por favor! Tenho que somar oito burros com oito asnos... – E o menino começou a contar nos dedos.

– Seu furúnculo podre! – a sra. Taurino exclamou. – Sua traça nojenta! Isso *não* é adição! É multiplicação! A resposta é três vezes oito! Ou é oito vezes três? Qual é a diferença entre três vezes oito e oito vezes três? Vamos, diga, seu verme gosmento!

Mas Wilfred estava tão confuso e apavorado que já nem conseguia falar.

Com dois passos, a sra. Taurino chegou ao lado dele. Com um golpe surpreendente de ginástica, ou talvez de judô ou karatê, deu um chute atrás das pernas de Wilfred, fazendo o menino levantar voo e descrever um salto mortal no ar. No meio da cambalhota aérea, ela o agarrou pelo tornozelo e o segurou balançando de cabeça para baixo, como uma galinha depenada na vitrine de um açougue.

– Oito vezes três é o mesmo que três vezes oito, e três vezes oito são vinte e quatro! – a diretora gritava, sacudindo Wilfred de um lado para o outro. – Repita!

Exatamente naquele momento, Nigel, do outro lado da sala, pulou da carteira e começou a apontar agitado para a lousa, gritando.

– O giz! O giz! Olhem o giz! Ele está andando sozinho!

O grito de Nigel foi tão histérico e agudo, que todos, inclusive a sra. Taurino, olharam depressa para a lousa. De fato, um pedaço de giz planava junto à superfície escura do quadro.

– *Ele está escrevendo alguma coisa!* – berrou Nigel. – *O giz está escrevendo alguma coisa!*

E estava mesmo.

– *O que significa isso?* – gritou a sra. Taurino, abalada ao ver seu primeiro nome sendo escrito daquela maneira por uma mão invisível. Ela soltou Wilfred e voltou a gritar, sem dirigir-se a ninguém em particular: – Quem está *fazendo* isso? Quem está *escrevendo* isso?

O giz continuou a escrever.

Todos ouviram o grito que a sra. Taurino sufocou na garganta:

– Não! Não pode ser! Não pode ser Magnus!

A srta. Mel, do outro lado da sala, olhou imediatamente para Matilda. A menina estava sentada muito ereta na carteira, com a cabeça erguida, a boca apertada, os olhos brilhando como duas estrelas.

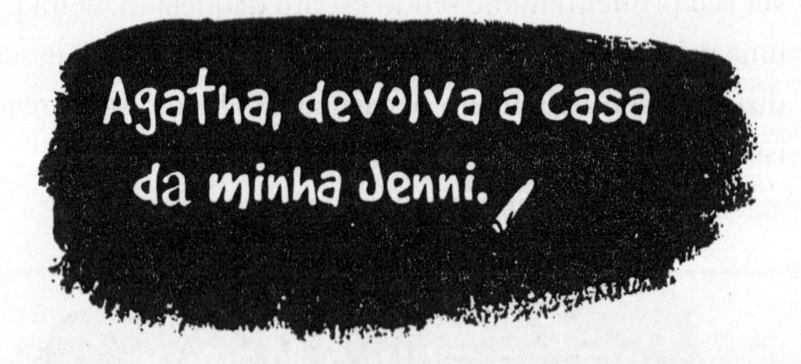

Por alguma razão, todos estavam olhando para a sra. Taurino. Ela estava branca feito neve, abrindo e fechando a boca como um peixe fora da água.

O giz parou de escrever. Ficou pairando no ar por alguns momentos e, de repente, caiu no chão e partiu-se em dois.

Devolva os salários da minha
Jenni,
Devolva a casa da minha Jenni,
Depois suma daqui.
Se você não fizer isso,
virei pegá-la.
Virei pegá-la como você
me pegou.
Estou de olho em você,
Agatha _.

– A sra. Taurino caiu! – gritou Wilfred, que tinha conseguido voltar à sua carteira na primeira fila. – A sra. Taurino está no chão! .

Aquela era a mais sensacional de todas as notícias, e todos da classe pularam de seus lugares para ver a cena de perto. Lá estava ela, a figura enorme da diretora, estirada de costas no chão, totalmente nocauteada.

A srta. Mel correu e se ajoelhou ao lado do gigante prostrado.

– Ela desmaiou! – a professora gritou. – Alguém vá chamar a inspetora!

Três crianças saíram correndo da sala.

Nigel, sempre pronto para agir, pegou o jarro de água que estava sobre a mesa.

– Meu pai disse que água fria é a melhor coisa para fazer uma pessoa desmaiada voltar a si – ele disse, e des-

pejou todo o conteúdo do jarro na cabeça da sra. Taurino. Ninguém, nem mesmo a srta. Mel, pronunciou uma única palavra de protesto.

Quanto a Matilda, ela continuava imóvel, sentada em sua carteira. Sentia-se estranhamente eufórica. Era como se tivesse tocado em algo que não pertencia a este mundo, o ponto mais alto dos céus, a estrela mais longínqua. Mais uma vez sentira o poder concentrar-se atrás de seus olhos, fluindo como um líquido quente dentro de sua cabeça, e seus olhos haviam se aquecido muito mais do que nas ocasiões anteriores. Uma força imensa emanara de suas pupilas e, então, o pedaço de giz se erguera e começara a escrever. Tinha sido tudo muito fácil, como se ela, na verdade, não tivesse feito quase nada.

A inspetora entrou correndo na sala, seguida por cinco professores, três mulheres e dois homens.

– Ora essa, até que enfim alguém conseguiu derrubá--la! – um dos homens gritou, rindo. – Parabéns, srta. Mel!

– Quem jogou a água? – a inspetora perguntou.

– Fui eu – Nigel respondeu, orgulhoso.

– Muito bem! – uma outra professora disse. – Vamos buscar um pouco mais?

– Parem com isso – a inspetora repreendeu. – Precisamos carregá-la para a enfermaria.

Foram necessários os cinco professores e a inspetora para erguer aquele corpo enorme e, cambaleando, carregá--lo para fora da classe.

– Acho melhor vocês irem para o pátio e ficar brincando até a hora da próxima aula – a srta. Mel sugeriu aos alunos. Depois, caminhou até a lousa e apagou cuidadosamente tudo o que o giz havia escrito.

As crianças começaram a sair da sala. Matilda acompanhou os colegas, mas, ao passar pela srta. Mel, diminuiu o passo, e seus olhos brilhantes encontraram os da professora. Num impulso, a srta. Mel correu até sua pequena aluna e a abraçou.

Um novo lar

Mais tarde, naquele mesmo dia, começou a se espalhar a notícia de que a diretora, depois de se recuperar do desmaio, tinha saído do prédio da escola com os lábios apertados e o rosto pálido.

Na manhã seguinte, a diretora não apareceu na escola. Na hora do almoço, o sr. Trinado, delegado de ensino, telefonou para ela, querendo saber se tinha acontecido alguma coisa. Ninguém atendeu.

No fim do dia, o sr. Trinado decidiu ir ate a casa onde a sra. Taurino morava, nos limites da cidade. A bela residência georgiana de tijolos aparentes era conhecida como Casa Vermelha e ficava abrigada entre as árvores do bosque, atrás das colinas.

Ele tocou a campainha. Ninguém respondeu.

Bateu com força na porta. Ninguém respondeu.

Ele chamou: "Tem alguém em casa?" Ninguém respondeu.

Mexeu na maçaneta da porta e, para sua surpresa, encontrou-a aberta. O sr. Trinado entrou.

A casa estava silenciosa e vazia. No entanto, os móveis continuavam no lugar. O sr. Trinado subiu as escadas e entrou no quarto principal. Ali também tudo parecia normal, até ele abrir os armários. Não havia roupas nem sapatos. Os guarda-roupas estavam vazios.

Ela se mandou, o sr. Trinado pensou. E ele saiu para informar a seus superiores que a diretora, ao que tudo indicava, tinha ido embora.

No outro dia de manhã, a srta. Mel recebeu uma carta registrada de um escritório de advocacia local informando que o testamento de seu falecido pai, dr. Mel, aparecera misteriosamente. O documento revelava que, com a morte do pai, a srta. Mel passara a ser de fato a legítima proprietária da residência atrás das colinas, conhecida como Casa Vermelha, até recentemente ocupada por uma certa sra. Agatha Taurino. O testamento também dizia que as economias de seu pai, felizmente ainda em segurança no banco, haviam sido deixadas para ela. A carta do advogado acrescentava que a srta. Mel deveria comparecer ao escritório assim que possível, para que a propriedade e o dinheiro fossem transferidos imediatamente para o nome dela.

A srta. Mel fez exatamente isso e, duas semanas depois, mudou-se para a Casa Vermelha, onde crescera e onde, felizmente, permaneciam todos os móveis e quadros da família. A partir de então, Matilda passou a visitar regularmente a Casa Vermelha, todas as tardes depois da escola, e uma grande amizade se desenvolveu entre a professora e sua pequena aluna.

Na escola, mudanças significativas também aconteceram. Assim que ficou evidente que a sra. Taurino tinha mesmo saído de cena, o sr. Trinado foi indicado como diretor para substituí-la. Pouco depois, Matilda foi transferida para o último ano. A srta. Plinsol não demorou para constatar que aquela criança espantosa era mesmo muito inteligente, que a srta. Mel tinha razão.

Algumas semanas depois, Matilda estava tomando chá com a srta. Mel na cozinha da Casa Vermelha, como sempre fazia no fim da tarde.

– Aconteceu uma coisa estranha comigo, srta. Mel – ela comentou.

– O que foi?

– Hoje de manhã, só por brincadeira, tentei empurrar um objeto com meus olhos e não consegui. Nada se moveu.

Nem senti o calor atrás dos olhos. O poder sumiu. Acho que o perdi.

A srta. Mel passou manteiga numa fatia de pão integral e colocou um pouco de geleia de morango por cima.

– Eu já esperava que isso acontecesse.

– É mesmo? Por quê? – Matilda perguntou.

– Bem, é só uma suposição, mas acho que, enquanto você estava na minha classe, não tinha nada para fazer, nada que exigisse esforço. Seu cérebro devia estar ficando maluco de frustração. Ele ficava borbulhando dentro da sua cabeça, onde havia uma imensa energia represada, sem ter para onde ir. De alguma maneira você conseguia liberar essa energia através de seus olhos e fazer os objetos se moverem. Mas agora é diferente. Você está na classe mais adiantada, competindo com crianças que têm o dobro da sua idade, e toda essa energia mental está sendo utilizada nos estudos. Seu cérebro, pela primeira vez, está tendo que se esforçar e manter-se realmente ocupado, o que é excelente. Veja bem, isto é apenas uma hipótese e talvez seja bobagem minha, mas não acho que esteja tão longe da verdade.

– Estou contente por isso ter acontecido – Matilda disse. – Não queria passar a vida toda como uma milagreira.

– Você já fez o bastante – a srta. Mel disse. – Ainda mal consigo acreditar em tudo o que você fez acontecer para mim.

Matilda, instalada num banco alto junto à mesa da cozinha, ia comendo seu pão com geleia bem devagar. Adorava aquelas tardes com a srta. Mel. Sentia-se totalmente à vontade na presença dela, e as duas conversavam como iguais.

– Sabia que o coração de um camundongo bate *seiscentas e cinquenta vezes por segundo*? – Matilda falou de repente.

– Não – a srta. Mel respondeu, sorrindo. – Que coisa mais fascinante! Onde você leu isso?

– Num livro da biblioteca. Isso significa que ele se movimenta tão depressa, que nem dá para ouvir cada batida. Deve soar como um zumbido.

– Com certeza – a srta. Mel respondeu.

– E sabe quantas vezes por minuto bate o coração de um ouriço? – Matilda perguntou.

– Não sei, não. Quantas? – a srta. Mel perguntou, sorridente.

– Menos que o do camundongo – Matilda disse. – Trezentas vezes por minuto. Mas, mesmo assim, não dá para imaginar que o coração de um animal que anda tão devagar bata tão depressa, não é, srta. Mel?

– Não dá mesmo – a srta. Mel concordou. – Fale de algum outro.

– O cavalo. Esse tem o coração lento. Só quarenta batidas por minuto.

Essa criança parece interessar-se por tudo. É impossível ficar entediado perto dela. E eu adoro isso, pensou a srta. Mel.

As duas continuaram conversando na cozinha por mais de uma hora. Então, lá pelas seis horas, Matilda se despediu e saiu caminhando de volta para a casa de seus pais, que ficava a cerca de oito minutos da Casa Vermelha.

Chegando ao portão, viu uma Mercedes preta estacionada diante da casa, mas não deu muita importância. Frequentemente havia carros estranhos parados por ali. Mas, quando entrou em casa, viu-se diante de um completo caos. A mãe e o pai estavam no vestíbulo, agitados, enfiando roupas e vários outros objetos em malas de viagem.

– O que está acontecendo? – ela perguntou, assustada. – O que foi, papai?

– Estamos de partida – o sr. Losna respondeu, sem levantar os olhos. – Vamos sair para o aeroporto daqui a meia hora, então é melhor você ir arrumando suas coisas. Seu irmão está lá em cima, pronto para partir. Vamos, mexa-se, menina! Trate de se apressar!

– De partida? – Matilda gritou. – Para onde?

– Para a Espanha – o pai disse. – Lá o clima é melhor do que nesta porcaria de país.

– Espanha! Eu não quero ir para a Espanha! Gosto daqui e gosto da minha escola!

– Faça o que estou mandando e pare de reclamar – o pai ordenou. – Já tenho problemas suficientes!

– Mas, papai... – Matilda protestou.

– Chega de conversa! Vamos partir em trinta minutos! Não posso perder o avião.

– Mas por quanto tempo, papai? – Matilda perguntou, desesperada. – Quando vamos voltar?

– Não vamos voltar. Agora ande logo, vá arrumar suas coisas! Estou muito ocupado!

Matilda deu-lhe as costas e saiu pela porta da frente. Assim que chegou à rua, começou a correr. Foi direto para a casa da srta. Mel e chegou lá em menos de quatro minutos. Encontrou-a no jardim da frente, no meio de um canteiro de rosas, com uma tesoura de aparar plantas na mão. A srta. Mel ouviu os pezinhos de Matilda correndo pelo chão de cascalho e saiu do meio do canteiro para receber a menina, que se aproximava ofegante.

– Ora, ora! – ela disse. – Por que essa pressa toda?

Matilda parou diante dela, sem fôlego, com o pequenino rosto todo vermelho.

– Eles estão indo embora! – a menina gritou. – Perderam o juízo e estão enchendo as malas! Vão partir para a Espanha daqui a meia hora!

– Quem? – a srta. Mel perguntou, sem elevar a voz.

– Minha mãe, meu pai e meu irmão. E eles disseram que eu tenho de ir também!

– É uma viagem de férias?

– Não, é para sempre! – Matilda gritou. – Papai disse que não vamos mais voltar!

Houve um breve silêncio.

– Para dizer a verdade, não estou muito surpresa – a srta. Mel disse.

– Quer dizer que *sabia* que eles iam embora? Por que não me contou?

– Não, querida. Eu não sabia que eles iam embora. Mas essa novidade não me surpreende.

– Por quê? Diga! Por quê? – Matilda pediu, ainda sem fôlego por causa da corrida e do choque.

– Porque seu pai está metido com um bando de marginais. Todo mundo na cidade sabe disso. Acho que ele é receptor de carros roubados vindos de todo o país. Está metido nisso até o pescoço.

Matilda olhou para ela boquiaberta e não conseguiu dizer nada.

– As pessoas traziam carros roubados para a loja de seu pai, onde ele trocava as placas, mudava a cor da lataria e tudo o mais – a srta. Mel prosseguiu. – Agora, vai ver que alguém avisou que a polícia está de olho nele, e seu pai está fazendo o que todos fazem: está indo para a Espanha, onde não poderão pegá-lo. Certamente estava mandando dinheiro para lá há anos, para deixar tudo preparado para quando chegasse a hora de fugir.

As duas estavam paradas no gramado, diante da linda casa de tijolos vermelhos, com suas telhas cor de terra e suas altas chaminés. A srta. Mel ainda estava com a tesoura de jardinagem nas mãos. Era um belo fim de tarde, e um passarinho cantava ali perto.

– Não quero ir com eles! – Matilda gritou de repente. – Não vou com eles!

– Acho que você tem que ir.

– Quero morar aqui com a senhora – Matilda falou. – Por favor, me deixe morar aqui!

– Bem que eu gostaria – a srta. Mel disse. – Mas acho que não é possível. Você não pode deixar seus pais só porque quer. Eles têm o direito de levá-la junto.

– E se eles concordarem? – Matilda sugeriu, aflita. – E se eles disserem que eu posso ficar?

– Seria maravilhoso – a srta. Mel murmurou.

– Pois acho que é capaz de concordarem! – Matilda gritou. – Acho mesmo! Eles não se importam muito comigo!

– Mas vamos com calma – a srta. Mel pediu.

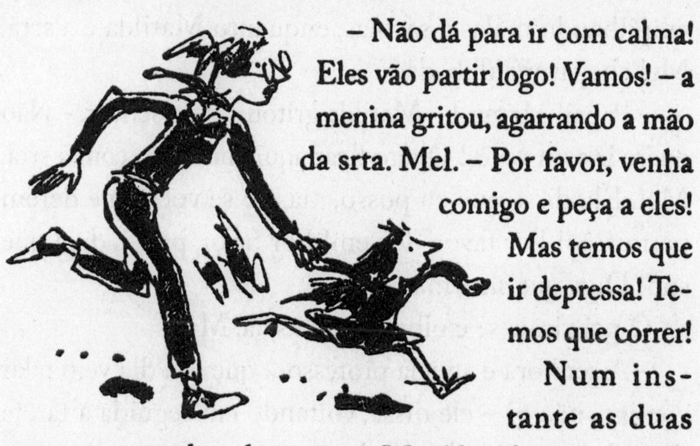

– Não dá para ir com calma! Eles vão partir logo! Vamos! – a menina gritou, agarrando a mão da srta. Mel. – Por favor, venha comigo e peça a eles! Mas temos que ir depressa! Temos que correr!

Num instante as duas estavam correndo pela rua, com Matilda à frente, puxando a srta. Mel pelo pulso. Atravessaram a vila a toda velocidade, até a casa dos pais de Matilda. A Mercedes preta continuava estacionada no mesmo lugar, mas agora com o porta-malas e as portas escancaradas. O sr. e a sra. Losna e seu filho corriam de um lado para outro como formigas,

empilhando malas e sacolas, enquanto Matilda e a srta. Mel chegavam afobadas.

– Papai! Mamãe! – Matilda gritou, quase sem ar. – Não quero ir com vocês! Quero ficar aqui, morando com a srta. Mel. Ela disse que eu posso, mas só se vocês me derem permissão! Por favor, deixem! Por favor, papai, diga que sim! Diga que sim, mamãe!

O pai virou-se e olhou para a srta. Mel.

– A senhora é aquela professora que um dia veio falar comigo, não é? – ele disse, voltando em seguida à tarefa de enfiar as malas dentro do carro.

– Esta vai ter que ir no banco de trás – a mulher disse. – Não cabe mais nada no porta-malas.

– Eu adoraria ficar com Matilda – a srta. Mel afirmou. – Cuidaria dela com muito amor, sr. Losna, e a sustentaria. Ela não lhe custaria absolutamente nada. Mas a ideia não foi minha. Foi de Matilda. Só vou concordar com isso se tiver o seu total consentimento.

– Vamos, Harry – a mãe disse, empurrando uma mala para o banco de trás. – Por que não a deixa ficar, se é isso que a menina quer? Seria um peso a menos.

– Estou com pressa – o pai disse. – Tenho que pegar o avião. Se ela quer ficar, que fique. Por mim, tudo bem.

Matilda pulou para os braços da srta. Mel. Em questão de segundos, a mãe, o pai e o irmão estavam dentro da Mercedes, e o carro partiu cantando os pneus. O irmão acenou para

Matilda pela janela, mas os outros dois nem olharam para trás. A srta. Mel continuou apertando a menina nos braços e elas não disseram uma palavra enquanto ficavam paradas, vendo o enorme carro preto dobrar a esquina do fim da rua e desaparecer para sempre na distância.

Este livro foi composto na tipografia
Adobe Caslon Pro, em corpo 11/16,1, e impresso
em papel off-white no Sistema Cameron da
Divisão Gráfica da Distribuidora Record.